DERTIEN!

Storm, Stijn en Stef volgen het spoor

Frank van Pamelen
met tekeningen van Pien van Pamelen

Kijk op www.zwijsen.nl/boj voor het laatste nieuws over de serie B.O.J.

1e druk 2014

ISBN 978.90.487.1791.0

NUR 283

© Uitgeverij Zwijsen B.V., Tilburg, 2014

Tekst: Frank van Pamelen

Illustraties: Pien van Pamelen

Foto Lex: Studio Zwijsen

Vormgeving: Marieke Nelissen, le petit studio

Voor België:

Uitgeverij Zwijsen.be, Antwerpen

D/2014/1919/175

Inhoud

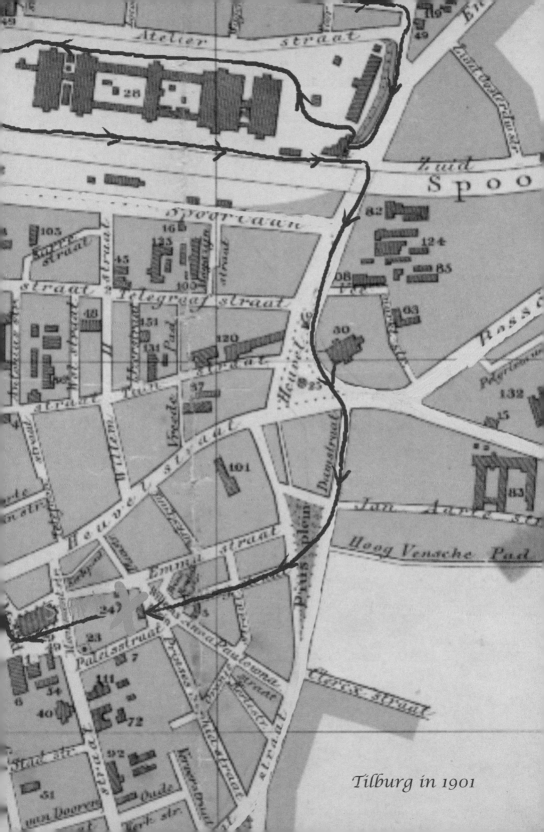

Tilburg in 1901

1 Paleis

'Kijk die baard!'

Storm proestte het uit.

'Het lijkt wel een HIPSTER!' siste Stijn.

'Maar dan wel eentje met een afwasborstel op z'n schouder,' grinnikte Stef. 'Of hoort dat bij z'n outfit? Wat een mafkees.'

'Ahum!'

Juf Jannie keek hen vernietigend aan.

Natuurlijk, ze moesten weer eens stil zijn. Zoals altijd. Als er ergens een béétje sfeer dreigde te komen, *werd die er snel weer uitgeramd.* Dat kon je rustig aan juf Jannie overlaten. Lol maken stond niet in haar woordenboek.

'Monden dicht, graag,' zei ze streng. 'Er zijn ook andere mensen bij. Graag een beetje respect. Dit is een paleis, en geen pretpark.'

Ja, dûh. Wás het maar een pretpark, dacht Storm. Dat was tenminste spannend. Vorig jaar had groep acht de hele dag in allerlei achtbanen gezeten. Die hadden een supervet uitstapje gehad. En nu hij zelf in groep acht zat, stonden ze alleen maar in een antiek gebouw tussen een stel grijze toeristen. Gezellig naar wat ouwe beelden kijken. Beelden met een baard. Zoals dit, van Willem zoveel.

'Willem II was koning van Nederland van 1840 tot 1849,' zei de gids. 'Maar eigenlijk zat hij liever hier in Tilburg dan in Den Haag. Hier voelde hij zich vrij.'

'Ik voel me HELEMAAL niet vrij,' fluisterde Storm. 'Hoelang duurt dat hier nog?'

'Tot half vier,' zuchtte Stef.

Storm keek op de antieke staande klok van de grote paleishal. Kwart voor twee. Nog ruim **anderhalf** uur! PFFF.

'Koning Willem II,' ging de gids verder, 'heeft dit paleis laten bouwen. Helaas voor hem was het niet op tijd af. Drie weken voor de opening ging de koning dood.'

'Lekker dan,' zei Stef.

'Waarom heeft-ie eigenlijk geen kroon op zijn hoofd?' wees Stijn naar het standbeeld. Juf Jannie knikte goedkeurend. Dat soort vragen wilde ze horen.

'*Slijmbal,*' siste Storm.

'Ja, dat is misschien wel leuk om te vertellen,' zei de gids. 'Het verhaal gaat dat hier wel een koningskroon in het paleis is geweest. Een uniek exemplaar. Niet rond, maar met veel hoeken.'

'Is geweest?' vroeg een roodharige vrouw. 'Waar is die kroon nu dan?'

'Geen idee,' zei de gids. 'Hij is gestolen en nooit meer teruggevonden. Een heel kostbaar sieraad was het. **VAN ONSCHATBARE WAARDE.** Maar niemand weet waar hij gebleven is.'

'De koning was toen al dood, toch?'

'O ja, al lang. Die kroon is ergens begin 1867 verdwenen. Bijna honderdvijftig jaar geleden. Dit paleis was toen tijdelijk omgebouwd tot een school.'

De vrouw fluisterde iets tegen de kale man die naast haar stond. Ze waren ongeveer net zo oud als z'n eigen ouders, gokte Storm. En ze vonden het blijkbaar interessant. Zij wel.

'Weten jullie trouwens,' ging de gids verder, 'welke beroemdheid hier bijna honderdvijftig jaar geleden les heeft gehad?'

'U zelf?'

Stef sloeg haar hand voor haar mond. Het was eruit gefloept voor ze het in de gaten had. Iedereen in de groep lachte. Behalve juf Jannie dan. Die lachte nooit. Die keek altijd *BOOS*. Ook nu weer.

'Nee, hoor,' zei de gids met een ongemakkelijke kuch. 'Zo oud ben ik nu ook weer niet.'

'VINCENT van GOGH?'

Iedereen keek om naar Stijn.

'Hoe weet jij dat?' vroeg Storm verbaasd.

'Omdat ik slim ben,' zei Stijn lachend.

'Wauw.'

'En omdat ik het net heb gelezen.'

Grinnikend hield hij het infoblaadje omhoog dat die morgen in de klas was uitgedeeld.

'Inderdaad,' zei de gids trots. 'Vincent van Gogh. De **BEROEMDE** SCHILDER. Hier kreeg hij zijn allereerste tekenlessen. Zijn oude klaslokaal zijn we momenteel aan het opknappen. Dat is nu een klein museum, midden in het paleis. Er liggen allemaal voorwerpen die Vincent en zijn klasgenoten moesten natekenen. Heel interessant om te zien.'

Ja, dacht Storm. Héél interessant. Maar niet heus.

'Heeft hij hier ook gewoond?' vroeg juf Jannie.

Jeetje, dacht Storm. *AL DIE VRAGEN.* Zo duurde het nog wel even voordat die rondleiding was afgelopen.

'Jazeker,' antwoordde de gids. 'Niet in dit gebouw natuurlijk, maar een paar honderd meter verderop, bij mensen in een huis.' Hij wees in de richting van het plein voor het paleis. 'Op die plek staat nu een ander huis, maar op de exacte

locatie hangt nog wel EEN PLAQUETTE aan de muur.'

'Een wát?' vroeg Stef.

'Een plaquette,' glimlachte de gids. 'Een soort gedenksteen met tekst erop. Dat je kunt zien waarom het een bijzondere locatie is. Anderhalf jaar heeft Van Gogh daar gewoond. Tot hij opeens van school ging.'

'Waarom?'

'Dat is een *MYSTERIE*. NIEMAND WEET HET.'

De kale man mompelde iets tegen de vrouw. Die knikte. De gids keek tevreden om zich heen. Hij had een aandachtig publiek. Dat kwam hij niet elke dag tegen.

'Vincent van Gogh,' ging hij dus vrolijk verder, 'kon toen nog niet weten dat hij een van de beroemdste schilders van de wereld zou worden. Hij was DERTIEN JAAR, toen hij hier op school kwam.'

Dertien jaar, dacht Storm. Dat was hij zelf ook net, als oudste van de klas. In groep 4 was hij blijven zitten. School was niet echt zijn ding. En tekenen al helemáál niet. Als het aan hem lag, zou hij de hele dag …

'Pssst …'

Stef maakte een prop van haar infoblaadje, liet hem op de grond vallen en schopte het ding over de gladde vloer, achter het standbeeld langs.

'Mis!' fluisterde Stijn. 'Dat kan ik beter.'

Zijn prop vloog vlak langs de kop van de koning.

OEEEHHH.

Lachen, dacht Storm. Voetballen in een paleis.

'Wedden dat ik die baard kan raken?' vroeg hij zacht.

Snel frommelde hij vijf infoblaadjes in elkaar, zodat zijn prop lekker groot was.

'Let op. Storm van Persie.'

Hij nam een aanloop en …

'NEE!'

De kreet van juf Jannie galmde door de hal. Met gevaar voor
eigen leven dook ze voor het schot, stak haar rechterarm uit
en bokste als een echte keeper de prop uit de lucht. Daarna
landde ze tegen het standbeeld. Dat begon te wankelen.

'KIJK UIT!'

De gids van het paleis rende naar het overhellende hoofd van
de kantelende koning, zette er zijn volle gewicht tegenaan en …

'Poeh!'

Het stond weer stil.

'Zijn jullie nu HELEMÁÁL GEK GEWORDEN?' gilde
de juf, terwijl ze weer overeind kwam. 'Ga maar onder die
stenen boog staan, alle drie!' Ze wees naar een plek achter in
de hal, bij een groot raam, onder de ronding van een brede
stenen trap. 'En ik wil jullie niet meer zien tot we weer naar
huis gaan.'

CHILL, dacht Storm. Hoefden ze lekker dat hele gebouw
niet meer door. En met z'n drietjes was het wel uit te houden
tot half vier. Grinnikend liepen ze naar het raam. Eigenlijk
leek het meer een glazen deur. Als je hem opendeed, kwam je
zo op een achterbalkonnetje, met wat bomen eromheen.

'Vet,' fluisterde Stef stoer.

Stef was sowieso stoer, vond Storm. Bijna meer een jongen
dan een meisje. Van hun drieën durfde zij misschien wel het
meest. Stijn was meer iemand die alles wel best vond. Samen
hadden ze altijd de grootste lol. Ook als ze straf kregen. Zoals
nu. Storm zag hoe de rest van de groep verder liep, vast naar
een zaal vol chique tapijten en dure schilderijen.

'Pfoeh,' zei Stef. 'Daar komen we goed vanaf.'

'Ja,' grinnikte Stijn, 'We zijn net op tijd weggestuurd.'

'Ik zie er nog twee die geen zin hebben,' knikte Storm.

De roodharige vrouw en de kale man stonden nog even naar de staande klok te kijken. Die hadden blijkbaar ook niet veel trek in de rest van de rondleiding. Terwijl ze net nog zo vol interesse leken. Nou ja, dacht Storm, misschien deden ze maar alsof.

'Psst.'

Stef weer.

'Er zit beweging in deze deur.'

'Welke deur?'

Stef trok **een zware deur** open, recht onder de brede trap, en samen keken ze door een kier.

'Je kunt hier naar beneden,' zei Stijn. 'Waar zou je dan uitkomen?'

'Weet ik veel,' zei Storm.

'Nee, jij weet niet veel,' grinnikte Stijn.

'Nou, dan kijken we toch even?' stelde Stef voor.

'Mag dat dan?' vroeg Stijn verschrikt.

'Natuurlijk niet,' lachte Stef. 'Kom!' En weg was ze.

'Ga nou, joh.' Storm duwde hem naar voren.

'Oké dan,' zei Stijn, en het volgende moment stonden ze met z'n drieën boven aan een oude wenteltrap. Als een wokkel draaide hij naar omlaag. Net als in een echt kasteel. En dat was dit oude paleis eigenlijk ook, met die torens. Een koninklijk kasteel. Even keken ze elkaar aan. Even was er een kleine aarzeling. Was dit wel verstandig?

Stef knikte.

'GO!'

16

2 Tekening

'Best donker,' zei Storm.

De anderen zeiden niets. Zwijgend liepen ze naar beneden.
Het enige geluid kwam van hun voetstappen, die hol
weerkaatsten tegen de kale muren. Onder aan de trap lag een
zwart-witte tegelvloer. Een levensgroot schaakbord, dacht
Storm, en zij waren de pionnen.

'En nu?' vroeg Stijn.

Storm haalde zijn schouders op.

'Geen idee.'

'Ik denk: daarheen,' zei Stef.

Ze wees naar een glazen deur. "Wegens werkzaamheden
gesloten," stond erop.

'Lijkt me niet,' zei Stijn. 'Die zal wel op slot ...'

Piepend ging de deur OPEN.

' ... zijn,' maakte Stijn zijn zin verbaasd af.

'Kom,' wenkte Stef. 'Dit is leuk.'

Ze liepen een verduisterde ruimte in. De ramen waren
afgeplakt met ZWART plastic, er stonden steigers
tegen de muren en de vloer was bezaaid met potten verf
en rondslingerend gereedschap. Hier was duidelijk een
verbouwing aan de gang.

'Raar dat er niemand is,' zei Stijn.

'Misschien komen ze straks wel,' dacht Stef hardop. 'Wat zou
dit zijn?'

In het midden van het lokaal stond een groot vierkant blok,
bedekt met plastic. Het zat onder de VERFSPETTERS.

'Volgens mij is dit iets van dat museum,' probeerde Stijn.

'Waar die gids het over had. Ik zie kabels lopen. Ik denk dat

hier van die touch-screen-dingen onder zitten. Dat je daar
dan op kan drukken voor meer info, weet je wel?'
'Hm-hm,' knikte Storm. Hij luisterde maar half naar wat
Stijn zei. Tussen wat planken door liep hij een gang op,
een andere kamer binnen. 'JONGENS, moet je
KIJKEN!'
De kamer leek wel een klaslokaal. In het midden en langs de
zijkant stonden grote beeldschermen, beschermd door een
dunne laag doorzichtige folie.
'Tekencomputers,' wist Stijn. 'Die heb ik wel eens gezien.
Maar nog nooit zoveel bij elkaar.'
'Cool,' zei Stef. 'Dat had Van Gogh best willen meemaken.'
'Hoe werken die dingen dan?' vroeg Storm.
'Dan moet je met een speciale pen op het scherm tekenen. Is
best vet. Kun je de mooiste dingen mee maken.'
Mwa, dacht Storm. Ik ben niet van mooi. Ik ben meer van
spannend. Hij draaide zich om en liep terug naar het eerste
lokaal. Plastic afval en houtsnippers knarsten onder zijn
schoenen. Wat een puinhoop, dacht hij. Heerlijk. Overal
werden de muren gestript, om opnieuw elektriciteit aan te
leggen. Dat klusje kon nog wel een tijdje ...
KLIK! DE BUITENDEUR! Er kwamen mensen binnen!
'Jongens, kom!'
Storm probeerde het niet te hard, maar wel dringend genoeg
te laten klinken. Dat lukte. Stef en Stijn kwamen meteen
vanuit de andere ruimte tevoorschijn.
'VLUG!'
Er klonken stemmen. De werklui kwamen terug van hun
pauze.
'Deze kant op!'

Stef rende naar een deur aan het eind van het lokaal en draaide aan de klink. Open! Meteen glipten ze alle drie door de opening heen. Deur dicht. Stil. *PFFF* … **Net op tijd.**
Storm hield zijn oor tegen het oude houtwerk van de antieke deur. Hij hoorde twee mannen lachen. Blijkbaar had een van hen een goeie mop verteld. Zo te horen hadden ze niks in de gaten. Maar wat nu?
'Het is hier **NOG** DONKERDER dan daarnet,'
zei Stijn zacht.
'Klopt,' fluisterde Stef opgewekt. 'Dit paleis wordt leuker en leuker. Kom mee!'
Storm grijnsde. Ze liepen achter Stef aan. Een wenteltrap naar boven deze keer. Ietsje smaller dan de vorige, leek het.
'Het stinkt hier ook al naar verf,' zei Stef. 'Ik denk dat dit hele stuk verbouwd wordt.'
'Als die mannen nog maar even beneden blijven,' reageerde Stijn. 'We mogen hier vast niet komen.'
'Ach,' zei Storm. 'ER MAG ZOVEEL NIET.'
'Weet iemand waar we zijn?' vroeg Stijn.
'Ja, ik,' zei Stef. 'In Tilburg. In het paleis van koning huppeldepup de tweede.'
'Willem,' zei Storm.
'Zeg maar Stef hoor,' zei Stef.
Storm schoot in de lach.
'Willem Twee bedoel ik, *DOMBO.*'
'Jongens, even geen grapjes,' zei Stijn. 'Waar zijn we in dit gebouw? Straks verdwalen we nog.'
'Spannend, toch?' zei Stef. 'Ah, hier houdt de trap op.'
Een zware houten deur piepte open.
'**WAUW!** Moet je hier kijken!'

'Ja, dan moet je wel doorlopen, gast.'

'Zijn er mensen?' vroeg Stijn.

'Niemand te zien,' zei Stef opgewekt. 'Maar dat kan ook komen doordat het hier nóg donkerder is.'

Ze stapten een nieuwe kamer binnen. Nou ja, nieuw ... Voor hen was-ie nieuw, dacht Storm, maar verder zag het er behoorlijk oud uit. Overal donkerbruin hout, oude vitrinekasten tegen de muur, met rare voorwerpen erin. Gipsen hoofden, lampen, tekendozen, zelfs een heuse hertenkop. Allemaal antiek. Het leek wel of ze honderd jaar terug in de tijd gestapt waren.

'Hier is het dus,' zei Stijn.

'Hier is wat?' vroeg Storm. Wat had hij graag al die spullen aan willen raken. Maar overal zat dun, doorzichtig plastic overheen. Tegen het stof van de verbouwing natuurlijk.

'DE KLAS VAN VAN GOGH,' fluisterde Stijn. 'Waar die gids daarnet over praatte, weet je nog? Hier heeft hij tekenles gehad.'

O ja, dacht Storm. Op z'n dertiende.

'Waar zijn die zonnebloemen dan?' vroeg hij.

'Zonnebloemen?'

'Ja, die schilderde hij toch altijd?'

'Toen nog niet, volgens mij,' grinnikte Stef. 'Zonnebloemen zijn best lastig als je net leert tekenen.'

Zonnebloemen zijn altijd lastig, dacht Storm. Die moet je niet tekenen. Die moet je in een vaas zetten. Punt.

'Kijk hier!' wees Stef. '*COOL!*'

Ze hield een stuk plastic omhoog, en een wit gipsen paardenhoofd keek hen vragend aan.

'Niet doen, joh,' zei Stijn.

'Hoezo,' grinnikte Storm. 'Ben je bang dat-ie bijt?'

Hij wreef met zijn hand over de muur.

Plof!

'WHOO!'

'Wat is er?' vroeg Stijn geschrokken.

'O niks,' zei Storm. 'Ik raak alleen de muur even aan, en ineens komt er een steen los.'

'Lekker dan,' zei Stef. 'Hoe krijg je dát nou weer voor elkaar?'

'Ja, weet ik veel,' mopperde Storm.

'Nee, jij weet niet veel,' grinnikte Stijn. 'In een oud gebouw brokkelen muren altijd een beetje af. Daarom zijn ze het nu ook aan het opknappen.'

Storm raapte de steen op. Of nou ja, de stukken die ooit een steen waren geweest. Hij zuchtte. Die puzzelde hij nooit meer fatsoenlijk in dat gat.

'Laat mij eens,' zei Stef.

Ze pakte een brokstuk en probeerde dat terug te stoppen.

Het paste niet. Ze wrikte nog een paar keer en trok toen de steen weer terug.

'Het lijkt wel of er IETS dwarszit.'

'Laat maar,' zei Stijn. 'Dat lukt toch niet meer. Laten we teruggaan.'

'Terug naar die rondleiding?' Storm schudde zijn hoofd.

'Nooit! Kom hier met die steen.'

Ruw duwde hij het ding in het gat en draaide het een paar keer heen en weer.

'WACHT!' zei Stef. 'Ik hoor iets.'

Ze trok de steen er weer uit.

'Geritsel. Papier of zo. Er zit iets in de weg. Misschien dat het daarom niet past.'

Ze stak haar hand in het gat en voelde.

'Yes!' riep ze.

'Ssst!' siste Stijn. 'Niet zo hard. Straks horen ze ons nog.'

'IK HEB IETS,' zei Stef, nu een beetje zachter.

'Wat is het?' vroeg Storm.

'Weet ik niet,' zei Stef. Met haar tong uit haar mond
probeerde ze iets los te trekken. 'Het zit een beetje vast.'

'Voorzichtig,' zei Stijn. 'Dat het niet kapot gaat.'

'HEBBES!'

'Wat is het?'

'Geen idee,' zei Stef. 'Een opgevouwen stuk papier.'

'Wat staat erop?'

'Kan ik niet zien. Het is hier te donker.'

'Wacht.'

Storm voelde in zijn broekzak en haalde er een mobieltje uit.

'Deze geeft licht.'

'En daar kom je nu pas mee,' zei Stijn verontwaardigd.

'Niet aan gedacht,' mokte Storm.

'Lekker dan,' zei Stef. 'Nou, kom maar hier met die lamp.'

Storm drukte op een knop, en inderdaad: HIJ GAF LICHT.

Stef vouwde het papier open. Het zag er oud uit.

'Wauw!'

'Wat is het?' vroeg Storm.

'Een tekening,' zei Stijn.

'Dat zie ik, dombo. Maar wat is daar getekend?'

'Een huis,' zei Stef. 'Best mooi gedaan trouwens.'

'Met een jongen in de deuropening,' zei Stijn. 'Die woont
daar blijkbaar. DERTIEN staat eronder geschreven.'

'En wat is dat?'

Storm wees naar het hoofd van de jongen.

'WAUW!'

Stef hield het papier iets dichter bij haar ogen.

'Wat dan?' vroeg Storm ongeduldig.

'Op zijn HOOFD!' siste Stef. 'Kijk dan!'

De jongen droeg een voorwerp met scherpe punten. Het ding was niet volmaakt rond, maar had veel hoeken.

'De gestolen kroon van de koning,' fluisterde Storm.

Stef knikte.

'En weet je wie die jongen is?' vroeg Stijn.

'Weet ik veel,' zei Storm.

'Nee, jij weet niet veel,' grijnsde Stijn. 'Kijk dan!'

'Het is *NIET WAAR!*' piepte Stef.

'Toch wel,' zei Stijn triomfantelijk.

Storm hield het schermpje van zijn telefoon vlakbij de schrijfletters onder aan de tekening.

23

3 Huis

'Vincent van Gogh?'

Vol verbazing keek Storm naar de naam onder de tekening.
'Nee, Vincent van Puffelenbroek, nou goed?' Stef rolde met
haar ogen. 'Natúúrlijk Van Gogh. Wie anders?'

Oké, oké, dacht Storm. Ik snap het. Stom.

Stijn voelde aan het papier.

'Voorzichtig!' riep Stef.

'Hoezo?'

'Weet je wel hoeveel dit waard is?'

'Nee,' zei Stijn. 'Jij wel dan?'

'Heel veel, denk ik,' zei Stef zacht.

'Waarom?' vroeg Storm. 'Het is maar een tekening.'

'Máár een tekening?' reageerde Stef. 'Dit LEVERT een
KAPITAAL op!'

'O, ja?'

'Misschien wel honderdduizend euro.'

'Wauw,' zei Storm, en ineens verscheen er een glimlach op
zijn gezicht. 'Dan zijn we HARTSTIKKE RIJK!'

'We?' vroeg Stijn. 'Niks we. Dit is niet van ons.'

'Ik dacht het wel,' zei Storm. 'Wij hebben 'm eerlijk
gevonden.'

'Tuurlijk,' zei Stijn spottend. 'We zijn op een plek waar we
helemaal niet mogen zijn, we halen een steen uit de muur
die we helemaal niet uit de muur mogen halen, maar verder
hebben we dat papier héél eerlijk gevonden.'

Storm haalde z'n schouders op en keek nog eens goed naar
de tekening. Best mooi voor iemand van dertien, dacht
hij. Zo'n huis kon hij zelf in elk geval niet tekenen. En zo'n

levensechte jongen leek hem ook best lastig.

'Waarom zou hij dat gedaan hebben?' vroeg Stijn.

'Wat gedaan?'

'DIE KROON,' wees Stijn. 'Op z'n hoofd.'

'Misschien wilde hij wel koninkje spelen,' zei Stef. 'Dat doen wel meer jongetjes, toch?'

'Ik kijk wel lekker uit,' schamperde Storm. 'Een beetje voor schut lopen met zo'n ding op je kop.'

Stijn schudde zijn hoofd.

'Volgens mij is het *iets anders.*'

'Wat dan?'

'Weet je nog wat die gids vertelde, daarnet bij dat standbeeld?'

'Nee,' zuchtte Storm. Stijn dacht toch niet echt dat hij daarnet had staan luisteren in die hal?

'Die gids zei dat ze hier allerlei dingen moesten natekenen,' zei Stijn. 'Zoals dat daar.'

Hij wees naar de houten vitrinekasten met de gipsen voorwerpen.

'Oké,' zei Stef. 'En die kroon dan?'

'Die hebben ze natuurlijk ook nagetekend,' zei Stijn. 'En dan heeft-ie hier gelegen. Urenlang. Bij al die leerlingen. En toen opeens ...'

' ... is hij verdwenen,' maakte Stef de zin af.

'SPOORLOOS,' knikte Stijn. 'Niemand wist waar dat ding gebleven was. Niemand behalve ...'

Ze keken naar de tekening.

'Je bedoelt toch niet ...' stamelde Storm.

'Het zou zomaar kunnen,' zei Stijn.

'Dat Van Gogh hem heeft meegenomen?'

'Misschien kwam hij wel uit een arme familie. Weet jij veel. Of hij wilde iemand uit de problemen helpen. Dan kon hij het geld goed gebruiken. Een sieraad van onschatbare waarde, weet je nog? Waarom zou hij anders die tekening gemaakt hebben? Met die kroon op zijn hoofd? Voor z'n eigen huis nog wel!'

'Hoe weet je dat dat zijn eigen huis is?' vroeg Stef.

'Lijkt me logisch,' zei Stijn beslist, 'Hij staat gewoon in de deuropening. Dat doe je alleen thuis. En kijk hier eens.'

Hij zette zijn wijsvinger op het jaartal.

'1867,' zei Stef zacht. 'Het jaar dat die kroon is verdwenen.'

Triomfantelijk keek Stijn de anderen aan.

'Geen wonder dat hij die tekening in de muur heeft verstopt,' zei Stef. 'Niemand mocht weten dat hij het had gedaan.'

'En ook niet waar de kroon was gebleven,' fluisterde Stef. Langzaam vouwde ze het papier dicht. Het was stil. Dit moesten ze even op zich in laten werken. De beroemde Vincent van Gogh, stiekem een KROONDIEF. Als kind weliswaar, maar toch. Wie had dat gedacht?

'Kom,' zei Storm toen.

'Waarheen?' vroeg Stijn.

'We gaan hem zoeken.'

'Die kroon? Doe effe normaal, man!'

'Deze kant op,' zei Storm.

Vastberaden liep hij naar een deur.

'Voorzichtig!' riep Stijn. 'Straks zien ze ons nog.'

Ja hèhè, dacht Storm. Ik ben niet gek. Heel zachtjes deed hij de deur open. Door een piepkleine kier kwam een dunne spleet licht naar binnen. Ze zaten aan de zijkant van de hal. Vlakbij het standbeeld. Er was niemand te zien. *'SNEL!'* siste Storm.

Hij duwde de deur verder open, en zo geluidloos mogelijk renden ze door de hal, achter elkaar aan, naar de uitgang van het paleis. Hup, naar buiten.

Pffff. Niemand had hen zien lopen.

'Wat wil je nou, man?' vroeg Stijn.

'Gewoon,' zei Storm. 'Naar het oude huis van Van Gogh. Kijken of we wat kunnen vinden.'

'DOE NIET ZO DEBIEL,' zei Stijn. 'Die diefstal was anderhalve eeuw geleden. Daar is nu echt niks meer van te zien, hoor. En dat huis staat er ook al niet meer.'

'Hoe weet je dat zo zeker?'

'De gids zei: "Waar het huis gestaan hééft." Dus staat het er niet meer.'

'O, ja.'

'Ik vind het wel spannend,' glunderde Stef. Met glinsterende ogen hield ze het opgevouwen blaadje omhoog. 'Leuker dan zo'n rondleiding in elk geval.'

Storm grijnsde. Zo kende hij haar weer. Vragend keek hij naar Stijn. 'En jij?'

'Oké, oké, ik ga al mee.'

Storm gaf Stef een knipoog. Dit kon wel eens heel leuk worden, voelde hij. Ze waren vast iets bijzonders op het spoor. Iets dat niemand wist. Stel je voor dat ze die kroon zouden vinden.

'Welke kant moeten we op?' vroeg Stijn.

'Weet ik veel,' zei Storm. 'En voordat je wat zegt: ik wéét dat ik niet veel weet.'

Zo SNEL mogelijk renden ze weg van het paleis. Over

de stenen, langs een grijze fontein, tot ze uit het zicht waren. Niemand mocht zien dat ze buiten liepen. Zeker juf Jannie niet. Die zou meteen een hartverzakking krijgen.

'Het kan nooit ver zijn,' hijgde Stijn. 'Volgens de gids was het maar een paar honderd meter.'

'Wacht even,' zei Stef.

Ze rende naar een oudere vrouw met een lange jas. Typisch Stef, dacht Storm. Meteen de weg vragen. Niks afwachten, gewoon recht op haar doel af.

Storm keek naar het witte paleis. Van een afstandje zag het er best cool uit, met die ronde torens. Zonde dat de koning er nooit had gewoond. Er liepen twee mensen over het plein. **_Een kale man en een roodharige vrouw._** Storm herkende ze van de rondleiding. Zie je wel, dacht hij. Die vonden het dus toch niet zo interessant binnen. Terwijl ze eerst nog zo nieuwsgierig leken.

'Ik weet het!'

Stef zwaaide met haar arm.

'Het is die kant op!'

Verder van het paleis dus, zag Storm. Mooi. Dat betekende ook verder weg van juf Jannie. Helemaal goed.

'Vijf minuutjes lopen,' zei Stef.

Ze renden langs een kerk, door een overdekte winkelgalerij, in de richting van een hoog hek met grote, witte standbeelden.

'Bij het hek is het kerkhof en daar moeten we naar links!'

Storm keek achterom. Het witte paleis was nu helemaal uit het zicht verdwenen. In de verte zag hij nog TWEE MENSEN hardlopen. Sportieve buurt hier, dacht hij. Of die hebben gewoon haast, dat kon ook.

28

'Hier moet het ergens zijn,' zei Stef. 'Net om de hoek.'
Ze liepen langs een pleintje met een Mariabeeld en staken
over naar een supermarkt. Er stonden gele bloemen buiten,
verdeeld over drie emmers.
'ZONNEBLOEMEN,' lachte Storm. 'Nu kan het niet ver
meer zijn.' 'Ik hoop het,' hijgde Stijn nog wat na. 'Waarom
hebben we eigenlijk zo'n haast?'
'Juf Jannie,' zei Stef. 'Als we lang wegblijven, gaat ze ons
missen. En dan schakelt ze de politie in, om ons te zoeken.'
Storm grijnsde. Zo was ze wel, juf Jannie. Belachelijk
streng en onmiddellijk in paniek. Van haar mocht je niks.
Juf Kannie, zeiden ze ook wel. Ze liepen langs een rij
huizen. Niks bijzonders op de gevel. Waar zou Van Gogh in
vredesnaam ...

'DAAR!'

Stef wees schuin omhoog. Boven een winkel, tussen twee
ramen in, zat een vierkante donkergrijze steen. Met de
afbeelding van een hoofd. Een man met een baard. En een
tekst.

4 Binnen

'En nu?'

Storm liet zijn blik zakken van Van Gogh naar de winkel.
In de etalageruit zag hij **het spiegelbeeld van drie
kinderen.** Drie jongens waarvan één meisje. Die eigenlijk
geen idee hadden wat ze hier moesten. Het enige wat ze
hadden, was een tekening van een jongen die al meer dan
honderd jaar dood was. Met daarop een kroon die nóg langer
geleden was verdwenen. En een huis dat er ook al tientallen
jaren niet meer stond.

'Naar binnen,' zei Stef stoer.

'De winkel in?' vroeg Stijn.

'Hoe anders?' vroeg Stef, en ze duwde tegen de deur. Dicht.
In de donkere etalage stonden rode en paarse designstoelen
met piepkleine prijsetiketjes. Maandag gesloten, stond op de
winkeldeur.

'Nou, dat begint al lekker,' zei Stijn.

'Geen probleem,' vond Storm. 'Er is vast een achterom. We
gaan gewoon langs de andere kant naar binnen.'

'Mag dat wel als er niemand thuis is?'

'Er mag zoveel niet,' zei Storm. 'Ik zeg: gaan met die banaan.'

'Ja maar,' pruttelde Stijn, 'als iemand ons ...'

'Kom op,' zei Stef kribbig. 'Durven we dit of durven we dit?'
Ze ging vlak voor de etalage staan en ademde tegen de ruit.
"JA! **HIER IS HET!**" schreef ze met haar wijsvinger.
Storm kreeg een brede grijns op zijn gezicht. Natúúrlijk
durfden ze dit. Ze waren iets bijzonders op het spoor, dan
mochten ze niet zomaar opgeven.

'Wie er het eerst is!' riep hij. Meteen begon hij te rennen.

Hij hoorde dat de anderen hem volgden. Mooi zo, dacht
hij. Zo gaat-ie goed. Bij een traliehek bleef hij staan. "Inrit
vrijhouden", zei een bordje vlak boven een container.
'Volgens mij is het hierachter,' zei hij.
Hij voelde aan de klink. *OP SLOT*. Natuurlijk.
'De container?' vroeg Stef.
Storm knikte.
'Hou 'm even vast, jongens.'
Stef en Stijn pakten de grote, groen-grijze afvalbak stevig
beet, zodat Storm er makkelijk op kon klimmen. Nog geen
vijf tellen later stond hij aan de andere kant van het hek.
'Ben zo terug,' zei hij.
Meteen begon hij te rennen. Door een brede brandgang,
een hoek om, naar de achterkant van de winkel. Er was
geen mens te zien. En het zag er ook niet naar uit dat er snel
iemand ...
Plotseling zag Storm dat er naast de achterdeur een raam op
een kier stond. Er verscheen een glimlach op zijn gezicht. Dat
is mazzel, dacht hij. Op deze manier was het makkelijk om ...
KLINGGG! Oeps! Er viel een lege fles om. Het groene
ding rolde rinkelend tegen een stapel stenen.
'Gaat het?' hoorde hij Stijn roepen. Zijn stem klonk raar
gedempt, zo vanuit de verte. Storm riep niets terug. Als de
buren maar niets gehoord hebben, dacht hij. Stel je voor
dat er ineens politie op de stoep stond. Terwijl ze aan het
inbreken waren. "Ja, sorry, agent. We hebben een tekening
gezien, van Vincent van Gogh, u weet wel, en nu zijn we
**dringend op zoek naar de kroon van Willem
Twee.**" Zoiets geloofde toch niemand?
Tik! Het haakje schoot los. Storm duwde het raam verder

open, stak zijn arm naar binnen en voelde langs de
binnenkant aan de achterdeur. Mooi. De sleutel zat nog in
het slot. *Even draaien* en ... Klik! Open.
'Hé!' hoorde Storm ineens roepen.
Meteen trok hij zijn hand terug. Wie was dat?
'Zie je al iets?'
Het was Stijn.
'DOMBO!' riep Storm, met een ingehouden schreeuw.
'Ik schrik me dood!'
'Ja, we hoorden maar steeds niks, dus ik dacht ...'
'Jij moet wat meer denken en wat minder roepen,' beet

Storm hem toe. 'Ik kreeg bijna een hartaanval.'

'We zijn ook maar over het hek geklommen,' zei Stef.

'Voordat je alle lol voor jezelf houdt.'

Storm probeerde zo cool mogelijk te kijken. Alsof hij zich niet KAPOT GESCHROKKEN was. En alsof hij dit soort klusjes elke dag wel een paar keer deed. Maar van binnen voelde hij zich wel een beetje raar. Stoer en stom tegelijk. Held en inbreker.

'Kom,' zei Stef. 'Op naar de kroon.'

'Die ligt hier echt niet hoor,' zei Stijn. 'Na meer dan honderd jaar. Dat kán helemaal niet.'

'Positief blijven, Stijn,' siste Storm. 'Je weet maar nooit.'

Ze gingen de winkel in. Overal stonden stapels stoelen. Design. Ze zagen er in elk geval allesbehalve alledaags uit.

'Waar is de kelder?' vroeg Stef.

'De kelder? Hoezo?'

'Nou,' zei Stef, 'als dit huis later gebouwd is, moeten we in elk geval niet bóven de grond gaan zoeken.'

Slim, dacht Storm. Daar had hij nog niet aan gedacht. De kelder was misschien nog net zo als in de tijd van Van Gogh. Als er al een kelder was. Hij liep de winkelruimte in.

'NIET DOEN, JOH,' riep Stef. Snel trok ze hem aan een mouw, terug de gang op. 'Straks zien ze je nog.'

'Nou en?'

'Niks nou en. Iedereen die hier vaker komt, weet dat de winkel dicht is. En dus leeg. En dan lopen er ineens drie kinderen rond. Wat denk je dat er dan gebeurt?'

O, ja. Storm zuchtte. Ook al niet aan gedacht. Het was maar goed dat Stef erbij was. Al leek het hem sterk dat er ineens mensen in de etalage ...

34

'HÉ!'

De onderdrukte kreet van Stijn klonk door de holle ruimte. Storm zag zijn verbaasde gezicht. Van achter de gangdeur keek hij naar buiten.

'Wat is er?'

'Niet de winkel in,' fluisterde Stijn. 'ZIJ zijn het.'

'Zij? Welke zij?'

Storm snapte er niets van.

'Die twee,' zei Stijn. 'Bij het raam.'

Storm gluurde om de hoek van de deur. Voor de enorme etalage stonden twee volwassenen. Een vrouw en een man. De een met **ROOD HAAR**, de ander **KAAL MET EEN BAARDJE.** Het waren dezelfde nieuwsgierige mensen als in het paleis.

'Nou en?' lachte Storm. 'Dat zijn gewoon twee fans van Van Gogh. Die willen natuurlijk alleen maar die steen in de gevel zien. Daar komen wel meer toeristen op af.'

'Zou het?' vroeg Stijn benauwd.

'Vast wel,' zei Storm.

'Ik weet het niet,' zei Stef, die bij hen was gaan staan. 'Het lijkt wel of ze ons ACHTERVOLGD hebben. En ze kijken niet naar de gevel.'

Storm zag hoe twee hoofden heel dicht bij de etalageramen kwamen. Hoe de vrouw ineens naar een laag plekje op de ruit wees. En hoe de man knikte.

Dat plekje! Ineens wist Storm waar ze naar keken. Dat was waar Stef met haar vette vingers iets geschreven had.

JA! HIER IS HET!

Er klonk gerammel. Door de gang zag Storm twee schimmen bij de voordeur staan.

'Ze willen naar binnen!'

'En ze weten dat we hier zijn.'

'Wat moeten we doen?'

HET GERAMMEL WERD **HARDER.** Ze wilden wel érg graag de winkel in.

Bam!

Een van de twee schopte zelfs tegen de deur! Niks gewone toeristen, dacht Storm. Dit leken wel hooligans. Maar waarom zouden ze nu ...

BAM!

Een nóg hardere trap. Maar de deur bleef dicht. Er klonk wat vaag gemompel. Toen verdwenen de schimmen.

'Oefff!' verzuchtte Stijn. 'Ze zijn weg.'

Ook Storm haalde opgelucht adem.

'Ik denk het niet.'

De stem van Stef klonk bezorgd.

'Wat bedoel je?' vroeg Stijn.

Stef keek naar de achterdeur.

'Volgens mij lopen ze om.'

5 Kelder

'Wegwezen hier!'

Stijn rende naar de achterdeur, die nog steeds half
openstond.

'Wacht!'

Storm kon hem nog net bij zijn mouw pakken.

'Waar wou je naartoe dan?'

'Naar buiten, terug naar het paleis.'

'Dat gaat niet meer lukken,' zei Stef. 'Er is maar één weg
achterom en daar komen die twee al langs.'

'Wat moeten we dan?'

'DE KELDER!'

'En waar is die?'

'Weet ik veel!'

Ze renden een gang op en trokken een willekeurige deur
open.

Mis. Een bergruimte vol opgestapelde dozen. Volgende deur.

Een oude wc. De derde deur dan.

'Bingo!'

'Hiero?'

Stijn draaide met een vies gezicht zijn hoofd weg. Het rook
inderdaad niet echt fris, vond Storm. En de doorgang naar
beneden was versperd door een gordijn van spinnenwebben.

MOESTEN ze nu echt ...?

'Waar wachten jullie nog op?'

Stoer liep Stef als eerste het krakerige houten trapje af. Met
haar hand hakte ze wat webben weg.

'Is er ook licht?'

'Wacht even.'

37

Storm draaide aan een antieke schakelaar. Geen resultaat.

'Er hangt hier wel een zaklamp,' zei Storm. 'Aan een haakje.'

'Neem maar mee,' klonk de gedempte stem van Stef. 'Het is best DONKER hier.'

'Daar zijn ze al!' siste Stijn.

'Snel!'

Ineens waren de spinnen en de stank geen punt meer. Hup, onder de webben door. Kelder in. Deur dicht. Trap af. Stil.

'Waren ze al bij de deur?' fluisterde Storm.

'Bijna,' zei Stijn zacht.

'Hebben ze ons gezien?'

'Ik denk het niet.'

'Pfieuw.'

'Niks pfieuw,' zei Stijn. 'Ik vertrouw dit voor geen meter. Waarom zitten ze achter ons aan?'

'Weet ik veel,' bitste Storm. 'Vraag het ze anders even.'

'Haha,' zei Stijn zurig. 'Doe het lekker zelf.'

'Ssst!'

Op slag was iedereen stil.

De twee waren binnen. Er klonken **voetstappen** recht boven de kelder. En stemmen, maar die waren niet te verstaan. De voeten liepen voortdurend heen en weer. Alsof ze niet wisten waar ze heen moesten. Zo te horen waren die twee rare volwassenen ook vreemden in dit huis.

'Hoe ver kunnen we doorlopen?' vroeg Stijn.

Storm haalde zijn schouders op, maar dat zag natuurlijk niemand.

'Ik doe de zaklamp wel even a- ...'

'Nee!'

De stem van Stef klonk zacht maar dwingend.

38

'Hou het zo donker mogelijk,' fluisterde ze. 'En loop zo ver je kunt door. Het is hier groter dan je denkt.'

'Maar waarom mag ik niet ...'

Klik! PLOTSELING scheen er daglicht op de keldermuur. Iemand had de deur opengemaakt en keek naar beneden.

'En?' klonk een vrouwenstem.

'Niks,' zei de man. 'Pikdonker beneden.'

'Dus daar zitten ze niet?'

'Lijkt me niet. Het barst hier trouwens van de spinnenwebben. Daar durven die gastjes nooit doorheen.'

Storm slikte. HET GING OVER HEN!

'Waar kunnen ze dan zijn? Boven?'

'Geen idee,' bromde de man. 'Misschien zijn ze toch weer naar buiten gegaan. De deur stond in elk geval nog open.'

'Dat heb ik gezien, ja,' bitste de vrouw. 'Ik heb ook ogen.'

De man mompelde iets onverstaanbaars.

'Hoe dan ook,' ging de vrouw verder, 'we móéten ze vinden. Ik heb het sterke vermoeden dat ze meer weten.'

'Van die kroon?'

'Nee, van voetbal,' zei de vrouw. 'Nou goed?'

'Van die kroon dus,' zuchtte de man.

'Natúúrlijk!' riep de vrouw. 'Waar anders van? Stel je voor dat die *ettertjes* dat ding eerder vinden dan wij, dan lopen we zomaar een miljoen mis.'

'Een miljoen?' vroeg de man.

Een miljoen! dacht Storm.

'Kom, we gaan boven kijken.'

En dicht was de deur. Even klonken er harde voetstappen, MAAR DAT GELUID WERD LANGZAAM ZWAKKER. Ze waren de trap opgegaan.

Pfff. Heel zacht durfden ze weer een beetje adem te halen. Storm voelde zijn hart nog in zijn keel kloppen. Hij klikte de zaklamp aan. Meteen deed Stijn zijn handen voor zijn ogen.

'Niet zo bangig,' fluisterde Storm. 'Ze zijn weg.'

'Maar voor hoelang?'

'Hoe lang is een Chinees,' zei Storm.

'Doe niet zo flauw,' reageerde Stijn. 'Die twee zijn hartstikke gevaarlijk. Ze zijn ons gevolgd, ze weten van de kroon, en ze weten ook dat wij aanwijzingen hebben.'

'Maar ze weten niet waar we zijn,' zei Storm.

'Nog niet nee.'

'We moeten ons gewoon *stilhouden* tot ze weer weg zijn,' zei Stef. 'Ze kunnen hier niet eeuwig blijven. Die kerel dacht ook al dat we weer naar buiten waren gegaan.'

'Klopt,' zei Storm.

Hij probeerde stoerder te klinken dan hij was. Niemand mocht merken dat hij **stiekem best wel BANG was.**

'Kom,' zei hij. 'We lopen verder.'

'Vind ik ook,' knikte Stef. 'We zijn er nu toch.'

'Oké dan,' zei Stijn aarzelend. 'Waar zijn we precies naar op zoek?'

'Naar alles wat er oud uitziet,' zei Stef. 'Dit hele huis is gebouwd na Van Gogh. Dus als we iets van hem willen

40

vinden, kan dat alleen maar onder de grond.'

De hele kelder was zo goed als kaal. Er lagen wat houten kistjes op de vloer, er zaten wat krassen op de muur en hier en daar liep een oude pijpleiding naar boven. Geen kroon te bekennen. Wel zag Storm een paar vierkante kistjes. Hij bekeek ze eens goed. Het mooie houtsnijwerk, met bloemen en vogels, was bedekt met spinnenwebben.

'Zo te zien is hier al zeker **HONDERDVIJFTIG JAAR** niemand geweest.'

'Mooi zo,' zei Stef, terwijl ze speurend rondkeek.

'Mooi?' vroeg Stijn. 'Er is hier niks. We hebben hier niks te zoeken.'

'Wie weet ...'

'Je bedoelt: een nieuwe tekening of zo?'

'Denk het niet,' zei Storm. 'Veel te vochtig hier. Papier blijft dan nooit zo lang goed.'

'Papier niet ...' herhaalde Stef langzaam.

Ineens stond ze **STIL**.

'Briljant!'

'Briljant?' vroeg Storm verbaasd. 'Ik?'

'Die krassen!' siste Stef. Ze moest zich inhouden om niet te gaan roepen. *'DIE KRASSEN OP DE MUUR.'*

'Wat is daarmee?' vroeg Storm.

'Een muur blijft wél anderhalve eeuw goed,' ging Stef enthousiast verder. 'Als ik een boodschap zou willen achterlaten in een vochtige kelder, zou ik hem in de muur krassen.'

'Dus je denkt ...'

'Dat denk ik inderdaad. Zoeken!'

Storm richtte de zaklamp op de dichtstbijzijnde muur. Die

41

glinsterde vochtig in het gele schijnsel. De enige krassen
waren gewoon beschadigingen.

'Dit is geen kunst,' gromde Storm. 'Zoiets kan ik ook wel
krassen. Als ik onvoorzichtig ben met een stuk ijzer.'

'En daar?' wees Stef.

Storm verplaatste de lichtstraal. Op de verste muur, vlak
boven een houten kistje, was een rij staande strepen te zien.
Precies naast elkaar. Lange en korte strepen. Om en om. Er
was een liggende streep doorheen gekrast.

'*WAUW,*' fluisterde Stef. 'Dit is geen onvoorzichtigheid.
Dit is bewust zo getekend.'

Links en rechts was pleisterwerk van de muur afgekrabd.
Alsof de strepen ingeklemd zaten tussen een rijtje
opgestapelde bakstenen.

'Volgens mij heeft iemand hier iets zitten tellen,' probeerde
Stijn. 'Dat heb ik wel eens gezien. Een vijf is vier verticale
strepen en ééntje diagonaal erdoorheen.'

'Diago-wát?'

'Een schuine streep.'

'Ik zie geen schuine streep,' zei Stef, terwijl ze met haar
vingers langs de krassen ging. 'En het zijn er geen vier, maar
...'

Stef sloeg haar hand voor haar mond. Haar OGEN
werden GROTER.

'Maar wat?'

Snel telde Stef de strepen na.

'*Het zijn er dertien.*'

'Echt waar?'

Stef knikte.

'Plus nog één aan beide kanten tegen die stenen aan.'

43

'*DERTIEN,*' fluisterde Storm. 'Precies wat Vincent van Gogh op zijn tekening schreef.'

'Maar waar verwijst dat dan naar?'

'Ik weet het niet.'

'En dit?'

Stijn wees naar de middelste staande streep. Het leek wel een pijl. Die pijl wees van het met bloemen en vogels versierde kistje naar een kruis. Zo één als in de kerk. En daaronder stonden cijfers gekrast:

4 1 1 2 3 8 6

'Waar slaat dát nou weer op?' zei Storm.

'Geen idee,' zuchtte Stef.

'Wacht even hoor,' zei Stijn. 'Ik denk dat ik iets zie.'

'O, ja?'

'Misschien wel. Kijk eens even goed. We zien een kist en een kruis. En die hebben met elkaar te maken, want er staat een pijl tussen.'

'Klopt.'

'Wat kunnen een kist en kruis met elkaar te maken hebben?'

'Al sla je me dood,' zei Storm.

'Precies,' zei Stijn triomfantelijk. '*DOOD.*'

'Huh?'

Storm begreep er niets van.

'O, ja!' riep Stef. 'KIST EN KRUIS is dood. Het gaat over een kerkhof!'

'Ha!' zei Stijn. 'Dat dacht ik ook!'

'En wat heeft dat met die dertien strepen te maken?'

'Dat gaan we nú uitzoeken.'

'Hoe dan?'

'Door naar dat kerkhof te gaan, natuurlijk.'

'En waar is dat dan?'

'Daar zijn we net langs gelopen,' zei Stef. 'Met dat hek met die grote witte beelden, weet je wel? Dat is hier vlakbij.'

'En ligt die kroon daar dan onder de grond?'

'We zullen zien.'

'Je BEDOELT dat we weer de KELDER uit GAAN?' piepte Stijn angstig.

'Dat bedoel ik.'

'En die twee dan? Die naar ons zoeken?'

'Die zijn vast allang weg,' zei Storm. 'Ik heb ze al een hele tijd niet meer gehoord.'

Op dat moment ZWAAIDE de kelderdeur OPEN.

'Maar wij jullie wel!'

Storm richtte zijn zaklamp op de trap en scheen recht in het gezicht van de kale man.

'Meekomen jullie,' klonk het bars.

'Meekomen?' vroeg Stijn met een klein stemmetje.

'Waarnaartoe?'

'Naar het kerkhof.'

45

6 Kerkhof

'Maar ...'

'Niks te maren!' blafte de man. 'Doorlopen! En SNEL!'

Zonder verder nog iets te zeggen, staken ze de straat over, langs het Mariabeeld, in de richting van de begraafplaats.

'Dus jullie dachten ons te snel af te zijn?'

'Te snel voor wat?' vroeg Stef zo onschuldig mogelijk.

'Doe nou maar niet zo stom,' beet de vrouw haar toe. 'Jullie weten precies waarover ik het heb. Geef op!'

'Wat wilt u – au!'

Met zijn enorme handen KNEEP de man even FLINK in haar bovenarm.

'Dat komt ervan als je domme vragen stelt.'

De vrouw grijnsde.

'En geloof me, bij elke nieuwe domme vraag grijpt hij je nóg steviger vast.'

Ze boog zich dreigend voorover.

'Waar is de tekening?'

'Welke te- ...'

'GÉÉN DOMME VRAGEN had ik gezegd!'

Meteen slikte Storm zijn woorden weer in. Vol ontzag keek hij naar de klauwen van de man. Daar kon je wel een kokosnoot mee kraken. Met gemak.

'Jullie hebben uit het paleis een tekening meegenomen. Een tekening van Van Gogh. Waar of niet?'

'Hoe weet ú dat?' vroeg Storm.

Weer die grijns.

'Dan moet je maar niet hardop gaan staan praten in die kelder,' zei de vrouw. 'Met al die pijpleidingen die naar boven lopen. We stonden bijna op zolder en we konden jullie woord voor woord verstaan. Dertien strepen, iets met cijfers, het kerkhof, alles.'

Ze keek triomfantelijk.

'Luister. Wij zijn hier al jaren mee bezig. Er gaat al heel lang een verhaal dat Koning Willem II een kroon had. Een uniek exemplaar. Niet rond, zoals de meeste kronen, maar met heel veel hoeken. Bijna onbetaalbaar. Hij is *GESTOLEN* en nooit meer teruggevonden.'

Ze veegde een rode lok uit haar ogen en glimlachte vals.

'Toen kwamen we erachter dat Vincent van Gogh hier tekenles heeft gehad. In het paleis van Willem II. En dat de kroon moet zijn verdwenen in de periode dat hij als dom dertienjarig jochie op school zat.'

Dom dertienjarig jochie. Alleen die tóón al, dacht Storm. Alsof alle dertienjarige jochies dom waren. Wist ze eigenlijk wel met wie ze te maken had? Hij was zelf ook dertien, hoor. En niet bepaald dom.

Hoewel ...

Om zomaar weg te lopen van de rest van de klas, in te breken in een gesloten winkel en rond te gluren in een wildvreemde kelder, dat was ook weer niet echt heel slim.

'Maar hoe wist u dat wij die tekening hadden?' hield Stef vol.

Ze pakte het opgevouwen papiertje uit haar broekzak. 'Die hebben we net uit de muur gehaald.'

'Ah!' riep de man. **'Dáár** zat-ie DUS!'

Hij griste het kunstwerkje uit Stefs handen.

'We zijn er wel tien keer geweest,' zei de vrouw. 'Maar we hebben niks kunnen vinden. Vincent heeft ooit in een geheime brief aan zijn broer geschreven dat hij tijdens zijn

schooltijd iets heel **BIJZONDERS** meegenomen
had naar huis, na de tekenles, en dat hij dat ergens had
verstopt. Samen met een schoolvriendje. Niemand wist
waar het ding lag. Alleen zij met z'n tweeën. En van dat
schoolvriendje hebben we nooit meer iets gehoord.'
'Precies,' vulde de man aan. 'Maar van Vincent hoorden we
des te meer. Die is wereldberoemd geworden. Maar dat wist
hij toen nog niet, natuurlijk. Als beginnend tekenaartje.'
'Alle aanwijzingen over de verstopplek van de kroon,' zei de
vrouw, 'zou hij in een tekening verwerken. Dat stond in die
brief. En toen we jullie daarnet zo hard weg zagen lopen,
dachten we van: *die weten meer.* Die móéten die
aanwijzingen gevonden hebben. En dus zijn we achter jullie
aangerend. Naar de plek waar Van Gogh heeft gewoond.'
Storm zag aan het eind van de straat de witte standbeelden
al. Daar was het kerkhof. Een man van de plantsoenendienst
stapelde pasgesnoeide takken op een aanhanger. Verder zag
het er verlaten uit.
'DERTIEN,' las de kale man hardop van de tekening. 'En
het huis waar we net geweest zijn. Dat levert nu geen nieuwe
informatie meer op.'
Hij gaf het aan de vrouw.
'Dertien is een ongeluksgetal,' zei ze met een vies gezicht, en
ze stopte het papier in haar tas. Daarna wendde ze zich tot de
kinderen.
'*Luister, lieve scholiertjes.*' Het klonk spottend.
'Zometeen gaan we op zoek naar de plek die Vincent op de
keldermuur heeft getekend.'
Ze keek de kinderen een voor een strak aan.
'Als iemand van jullie ook maar probéért om ervandoor te

gaan ...'

Ze wees naar de man.

' ... dan ...'

De man **KRAAKTE** zijn vingers. Het klonk alsof hij
een bos dode takken doormidden brak.

'Is dat begrepen?'

Storm slikte. En knikte. Het klonk alsof de vrouw het
meende. Zwijgend liepen ze door het openstaande hek.
De man van de plantsoenendienst keek niet op of om. Hij
had een blauwe overall aan, een wit petje op en gooide een
kruiwagen vol bladeren op zijn aanhanger. Voor de rest was
er niemand. Niemand om wanhopig naar te kijken. Niemand
om stiekem iets toe te fluisteren. Of wat dan ook. Ze waren
alleen. Met z'n vijven.

'Goed,' zei de vrouw, terwijl ze in het rond keek. 'Dertien
strepen. Dat moet niet zo moeilijk zijn.'

Niet zo moeilijk? dacht Storm. Hij zag alleen maar bomen en
struiken. En wandelpaden tussen **donkere** grafstenen.
Vlak langs het hoofdpad lag één nieuw graf. Dat moest
vanmorgen pas gegraven zijn, zo vers zag het eruit. De
uitvaart zou vast elk moment kunnen beginnen. Dan kwam
er een stoet mensen langs. Misschien zou die redding kunnen
brengen. Hoe dan ook: hij zag overal van alles, maar strepen
... hó maar.

Plotseling voelde hij een por in zijn zij. Stef. Ze knikte bijna
onzichtbaar naar een eindje verderop. Wat bedoelde ze nou?
Dat open graf dat daar pas gegraven was? Of dat grote ding
net iets van het hoofdpad af? Met dat hekwerk eromheen?

Wat bedoel je nou? probeerde Storm met zijn ogen te
zeggen.

49

Stef draaide met haar ogen en knikte nog een keer. Iets nadrukkelijker nog. Iets té nadrukkelijk.

'Jij ziet iets, hè?'

De vrouw ging naast Stef op haar hurken zitten, en keek in de knikrichting van Stef. Ineens werden haar ogen groot. Rond haar mond verscheen een brede glimlach.

'Natúúrlijk!' riep ze. 'Dat ik daar zelf niet aan gedacht heb!'

Ze rende vooruit, naar het grote graf, en begon de spijlen van het hekwerk te tellen.

'Dertien plus twee!' juichte ze. 'Hier is het!'

Nu zag Storm het ook. Een rij lange en korte strepen, tussen twee bakstenen torentjes. Net als op de keldermuur.

'Dit is **HET OUDSTE GRAF** van het hele kerkhof,' zei de vrouw. 'Het lag er al toen Van Gogh hier kwam wonen.'

Ja, hèhè, dacht Storm. Anders had hij het nooit kunnen tekenen. Zo dom was hij nou ook weer niet, ondanks dat hij een dertienjarig jochie was.

'En weet je wat nou zo vreemd is aan dit graf?'

'Er liggen drie grafstenen,' zei Stijn, die een hele tijd zijn

mond had gehouden. Maar op een of andere manier durfde hij nu ineens wel.

'Precies!' riep de vrouw. 'Maar kijk eens naar de namen. Zie jij ook hoeveel mensen hier liggen?'

'Twee,' zei Stijn.

'Inderdaad. Van de eerste burgemeester van Tilburg. En van zijn vrouw.'

'En dat derde graf dan?' vroeg Stef.

'Daarvan wordt gefluisterd dat DE KONING er ligt.'

'Willem II?'

'In hoogsteigen persoon!'

'Maar dat weten ze niet zeker?'

'Nee,' zei de vrouw. 'Het graf is nooit opengemaakt om het te controleren. En weet je waarom niet?'

Er verscheen een brede grijns op haar gezicht.

'Omdat daar waarschijnlijk nog iets anders ligt dat héél veel waard is.'

'De kroon?' vroeg Stef.

'WAT ANDERS? DOMME GEIT!' riep de vrouw. 'Natúúrlijk de kroon! Waarom zou Vincent van Gogh anders dit graf hebben getekend? Omdat het weer eens wat anders was dan een zonnebloem?'

Stijn boog zijn hoofd naar dat van Storm.

'Ik geloof er niks van,' fluisterde hij. 'De cijfers op het graf zijn anders dan die in de kelder.'

'Hè?'

'Niet smoezen daar!' riep de man, en hij kneep voor straf nog een keer stevig in de bovenarmen van Stijn en Storm.

'Laat die kids maar,' zei de vrouw. 'Die hebben we niet meer nodig. Je moet dat graf openmaken.'

'Ik?'

'Ja, wie anders?' snauwde de vrouw. 'Je krijgt er genoeg voor betaald, hoor. En ik ben er niet sterk genoeg voor. Je weet het: *ik de hersenen, jij de spieren.*'

'Oké, oké,' bromde de man. 'Maar waar laten we die kinderen dan?'

'Bind ze maar aan een boom of zo.'

Ja hallo, dacht Storm. We zijn toch geen honden? Trouwens, zelfs béésten behandelde je niet zo. Wat wáren dat voor barbaarse mensen?

'Help even mee dan,' zei de man. 'Dan is het zo gebeurd.'

Storm keek Stef aan. Stef keek naar Stijn. En Stijn weer naar Storm. Als ze wilden ontsnappen, moesten ze het nu doen. Nu of nooit.

Ze liepen terug naar het hoofdpad. Daar was het verse graf weer. Met nog geen spoor van een begrafenisstoet. Ze liepen vlak langs de rand van het gat. En ineens **FLITSTE** het door Storm heen. Hier moest het gebeuren. In een fractie van een seconde keek hij naar Stef. En hij zag dat zij er net zo over dacht. En Stijn ook. Die telde al af. Met zijn mond. Zonder geluid te maken. Drie ... Twee ... Eén ...

'NU!'

Meteen lieten de drie zich op de grond vallen.

'Hé! Wat moet dat?'

De roodharige vrouw wilde Storms arm vastgrijpen, maar graaide in de lucht. Ze wankelde, probeerde zich nog aan de man vast te klampen, maar verloor haar evenwicht. In plaats van dat hij haar overeind hield, trok zij hem mee omlaag.

'AAAH!'

Baf! Het gat in.

Versuft bleven ze liggen. De schoudertas van de vrouw balanceerde op de rand van het graf. Met een brede grijns haalde Storm er de tekening van Vincent uit en boog zich over het gat.

'Eigen schuld!' Hij trok een overdreven vies gezicht. 'Dertien is een **ONGELUKSGETAL!'**

Stef trok hem terug het pad op.

'Wegwezen nu!'

'Even wachten nog,' riep Stijn.

'Wat ga je doen?' vroeg Stef.

'Terug naar dat graf van die burgemeester!'

'Waarom?'

'De cijfers checken!'

'En die twee gasten dan?'

'Die kunnen er toch niet uit!'

Stef en Storm renden achter Stijn aan. Moest dat nu echt? Hadden ze niet genoeg avontuur gehad? Moesten ze niet gewoon de politie waarschuwen? Zeggen dat ze ONTVOERD waren? Moesten niet terug naar het paleis? Hoe laat was het eigenlijk?

'Kijk!'

Stijn wees naar de steen bij het graf.

'Zie je wanneer die burgemeester is overleden?'

Storm zocht tussen de wirwar van cijfers en letters.

'*"DEN 4 DECEMBER 1836"* staat er.'

'Klopt,' zei Stijn.

Hij pakte een tak en schreef in het zand.

4 1 2 1 8 3 6

'En wat stond er op de muur van de kelder?'

'Weet ik veel,' zei Storm.

'Nee, jij weet niet veel,' grijnsde Stijn.

En onder de eerste rij cijfers schreef hij:

4 1 1 2 3 8 6

'Dat is precies hetzelfde, maar toch anders. Kijk maar. Die eerste twee cijfers zijn gelijk, en het laatste ook.'

'En de rest van de cijfers?'

'Die heeft van Van Gogh omgewisseld. Expres.'

'Hoezo expres?'

'Heb jij vroeger nooit **GEHEIME CODES** gemaakt?' vroeg Stijn.

Hij begon als een dolle in het zand te tekenen.

'Het zijn zeven cijfers, waar van hij er zo te zien vier heeft omgewisseld. Waarom zeven cijfers? Waar-om ze-ven cij-fers?'

Bij elke lettergreep sloeg hij met de stok op de grond. Alsof hij zo harder kon nadenken.

'Ik weet het ook niet,' zuchtte Stef. 'Ik dacht dat hij iets met het getal dertien had.'

PLOTSELING stopte Stijn met slaan.

'Zeg dat nog eens.'

'Ik zeg: ik dacht dat van Gogh iets met **DERTIEN** had. Van die tekening, weet je wel?'

'Briljant!' riep Stijn.

'Wat heb ik nu weer gezegd?'

'Nou, kijk maar.'

DERTIEN

Stijn schreef het woord in het zand, boven de cijfers van daarnet.
'Dat zijn zeven letters, zie je wel?'
De anderen knikten VERBAASD.

D	E	R	T	I	E	N
4	1	2	1	8	3	6
4	1	1	2	3	8	6

'En dan verander ik vier letters, precies op de manier zoals Van Gogh dat gedaan heeft. In dat geval verwissel ik dus de R en de T, en ik verwissel de I en de E.'
En ineens stond er:

D E T R E I N

7 Takken

'De trein,' fluisterde Storm.

'Zie je wel?' glunderde Stijn.

'Ik zie het,' zei Stef. 'Maar wat schieten we daarmee op?'

'Ja, dat weet ik natuurlijk ook niet.'

Stef zuchtte.

'Lekker dan. Nou, dan zijn we nog net zo ver als daarnet.'

'Nietes,' protesteerde Stijn. 'We weten nu dat die kroon waarschijnlijk iets met een trein te maken heeft. Misschien heeft hij hem toen in een treinstel verstopt.'

'Ja, dûh. Wat denk je, dat die trein er na honderdvijftig jaar nog steeds staat? Ik bedoel: je hoort wel eens wat over vertraging en zo, maar zo erg is het nu ook weer niet met de spoorwegen.'

Storm grinnikte. Hij stelde zich een mannetje voor dat in 1867 naar z'n werk moest, en dat nu een grijze baard had van drie kilometer.

'Waar zouden ze die **oude treinen** bewaren?' vroeg Stef. 'In een museum?'

Storm trok een vies gezicht.

'Vast niet. Wie gaat er nu naar een museum om naar een hoop oud ijzer te kijken? Ikke niet.'

'Nee, jij vindt een museum alleen maar leuk als we er een geheimzinnige tekening ... oh, WACHT!'

'Wat is er?'

'Hoe laat is het eigenlijk?' vroeg Stef.

Storm keek op zijn mobieltje.

'Tien over half drie.'

'Oké,' zei Stef. 'We hebben nog drie kwartier.'

55

'En dan?'

'Dan gaan ze ons zéker zoeken. Tot die tijd zijn ze in dat paleis nog druk met beelden en schilderijen en sieraden en zo.'

'Zij liever dan ik,' bromde Storm. 'Al die saaie sieraden. Ik zie liever een mooie, snelle auto. Ik heb honderd keer liever *vroemvroem* dan *blingbling.*'

'Dat moet jij zeggen,' grijnsde Stijn. 'Wie is er nou op zoek naar goud en juwelen?'

'Zo'n kroon is anders. Die is geld waard. Minstens een MILJOEN, heb ik net gehoord. Daar kun je wel vijf sportwagens van kopen.'

'Je hebt niet eens een rijbewijs.'

'Nou en?'

'Jongens,' zei Stef. 'Even serieus nu. We moeten hier zo snel mogelijk weg. Voordat die twee halve dooien uit dat gat kruipen. Waar gaan we naartoe?'

'Momentje.'

Storm had zijn mobieltje nog steeds in zijn hand.

'Even opzoeken.'

Hij tikte de woorden "oud", "trein" en "spoor" in, en ...

'Hmm. Niks. Dan kom je bij het station uit. Weinig kans dat de goeie trein daar nu nog staat.'

Stijn wreef langs zijn kin.

'Ik denk,' zei hij, 'dat we naar een plek moeten waar ze oud ijzer verzamelen. Vaak hebben ze daar ook stapels oude wrakken. Misschien liggen daar ook wel VERROESTE treinen tussen.'

'En waar vinden we zo'n plek?'

'Ik heb er ooit een gezien vlakbij de milieustraat. Daar ben ik met mijn opa een keer geweest.'

'Wat een rare naam voor een straat.'

'Dat is geen straatnaam, SLIMPIE,' zei Stijn. 'Dat is de vuilstortplaats. Daar brengen de mensen hun grof afval naartoe.'

'Waarom zeg je dát dan niet,' bromde Storm.

Hij borg zijn telefoon weer op. De batterij begon aardig leeg te raken. Vergeten op te laden vannacht. STOM.

'Dus?' vroeg Stijn. 'Wat doen we? Naar die vuilstortplaats?'

'Ik dacht het wel,' antwoordde Stef. 'En ik heb ook al een ideetje hoe we daar kunnen komen.'

'O ja?'

'Kom maar mee,' zei ze geheimzinnig.

Ze liepen terug naar het hoofdpad, vlak langs het open graf. De man lag nog steeds uitgeteld op de bodem van de zandkuil. Die klap was blijkbaar hard aangekomen. De vrouw keek naar boven. Ze glimlachte.

'Hee, jongens. Dat was **_een leuk geintje._**'

Storm keek verbaasd terug.

'Ik heb erom gelachen hoor,' zei de vrouw. 'Maar nu willen we er wel uit. Weet je wat? Als jullie ons nu helpen, gaan we samen op zoek naar die kroon. En als we hem vinden, delen we de opbrengst.'

Ja, daag, dacht Storm. Daar trappen we niet in, dame. Hij wilde nog wat lelijks terug roepen, maar Stijn trok hem aan zijn mouw.

'Doorlopen. Zo veel tijd hebben we niet meer.'

'Daar gaan jullie **SPIJT** van krijgen,' siste de vrouw. De vriendelijke toon was op slag verdwenen.

'Ja, doei!' riep Stijn.

59

'**ROTJOCHIES!**' gilde de vrouw. 'We krijgen jullie nog wel!'

Brrr, dacht Storm. Hij moest er niet aan denken. Zijn arm deed nog steeds pijn van daarnet. Maar nu waren ze veilig. Toch?

'Jongens, kijk!' fluisterde Stef.

Ze wees naar de poort van het kerkhof. Daar stond nog steeds dezelfde man takken op te laden. Zijn aanhangwagen was bijna vol.

'Hij gaat ons brengen.'

'Die man?'

'TUURLIJK!'

'Hoe dan?'

'Simpel,' zei Stef. 'Een milieustraat heeft toch ook een afdeling voor groenafval?'

'Vast wel.'

'Nou, dan zal hij daar zometeen wel z'n takken naartoe brengen. Toch?'

'En jij denkt dat hij dan drie vreemde kinderen meeneemt?' Stef grijnsde.

'Hij hoeft het toch niet te weten?'

'Maar hoe ...'

Voordat Stijn zijn zin kon afmaken, was Stef al doorgelopen.

Volg mij maar, gebaarde ze. Maar doe het WEL ZACHTJES.

Vlak bij de poort bleven ze staan.

'En nu?'

'Nu moeten we ongemerkt achterop springen.'

'Zonder dat-ie het ziet?'

Jij bent knettergek, dacht Storm. Maar Stef glimlachte alleen maar. Zo te zien wist ze precies wat ze deed.

Ineens klonk er een zacht zoevend geluid. Een beschaafd gekraak van grind onder autobanden. Er kwam een lange, zwarte wagen aangereden.

'Mooi zo,' fluisterde Stef. 'Precies wat ik hoopte.'

'Een begrafenis?'

Stef knikte.

'Daarom hebben ze dat gat alvast gegraven. Nu maar hopen dat dit de aandacht *een beetje afleidt.*'

'Waarvan?'

'Van ons.'

Ze gingen iets dichter bij het hek staan, achter een dikke boom. De man van de plantsoenendienst had zijn petje afgedaan, en keek eerbiedig zwijgend naar de lijkwagen. Doorwerken als er treurende mensen langslopen, dat was natuurlijk niet netjes.

Inmiddels waren er meer auto's gestopt. Het werd druk.

'Op mijn teken,' fluisterde Stef.

Storm en Stijn zetten zich schrap. Dit kon maar één keer. Het mocht niet fout gaan. Zes mannen met lange zwarte jassen liepen voorop in de stille stoet. Ze droegen een mooie, lichtbruine kist. Daarachter liepen familieleden met bloemen. Iedereen was bezig met zichzelf. Niemand lette op hen.

'Nu!'

Vlak achter de laatste mensen liepen ze de poort uit. De plantsoenenman zag niets. Die was naar de cabine van zijn auto gelopen.

'Hij stapt in,' siste Stef. 'We moeten snel zijn.'

Zo **VLUG** ze konden, sprongen ze op de aanhanger, gingen plat op de takken liggen en bedekten zich met bladeren. Ze konden niets meer zien. Storm hoopte dat dat betekende dat ze ook niet gezien konden wórden.

BRMMM ... Onder hun liggende lijven begon de wagen te trillen.

'Hou je vast,' zei Stijn. *'We gaan rijden!'*

Nauwelijks had hij dat gezegd, of de wagen zette zich krakend in beweging. Op weg naar ... Ja, naar wat eigenlijk? Naar een plek waar oude voertuigen lagen. Schroot van weggeroeste auto's, natuurlijk. Ze dachten toch niet echt dat daar ergens resten van een oude trein tussen zouden liggen? Of de kroon van een nóg oudere koning?

De aanhangwagen hobbelde langs onbekende straten en lastige rotonden. Erg lang moet dit niet duren, dacht Storm,

anders stuiteren we er vanaf. Zouden ze al naar hen op zoek zijn? Had juffrouw Jannie de politie al ingeschakeld? Of werden ze nog niet eens vermist?

'Hé, jongens!'

Ergens tussen de takken klonk de stem van Stef.

'Zouden die twee nog steeds in dat graf liggen?'

Storm gniffelde.

'Misschien hebben ze die kist er wel bovenop gelegd,' riep hij.

'Dan lig ik toch liever hier!' gilde Stijn. 'LEKKER RUSTIG!'

Ze konden roepen wat ze wilden. Het verkeer overstemde alles. Niemand kon hen horen. De wagen stopte bij een stoplicht en sloeg rechtsaf. Echt hard ging hij niet meer. De weg werd minder vlak, het omgevingsgeluid nam af.

'Ik denk dat *we er bijna zijn*,' zei Stijn, nu weer wat zachter.

De aanhangwagen stuiterde een paar keer, er klonk gepiep van remmen, en ze stonden stil.

'Wat heb je deze keer, Fred?' klonk het gedempt.

'Drie keer raden.'

'Eh ... dan denk ik: takken, takken en takken.'

'Drie keer goed,' zei Fred lachend. 'En bladeren.'

'Goh, verrassend zeg. Nou, rij maar door.'

'Dank je!'

Langzaam zette de auto zich weer in beweging.

'Hoe stappen we straks uit?' zei Stijn zacht.

'Gewoon,' zei Stef. 'Eerst het ene been, dan het andere been.'

'Ja, hèhè. Ik bedoel: zonder dat ze ons zien.'

'Geen idee. Jij?'

Het bleef stil. *KANS AFWACHTEN,* dus.

De wagen stopte. Fred zette de motor uit.

63

'En, Fred?' hoorden ze. 'Zin in een peuk?'

'Altijd,' zei Fred.

Autodeur. Gehoest. Voetstappen.

Het geluid STIERF LANGZAAM WEG.

'Ze zijn weg,' zei Stef. 'Dit is onze kans.'

Zo snel ze konden, gooiden ze het groenafval van zich af en sprongen ze van de aanhanger. De milieustraat was gigantisch. Er stonden containers in alle kleuren van de regenboog. En overal stond een wit bordje bij: 'papier', 'glas', 'hard plastic', 'hout', 'metaal'. Ze wilden naar de opslagplaats voor oude voertuigen. Maar waar was hier de opslagplaats voor oude voertuigen? De opslagplaats voor de alleroudste oude voertuigen? Waar?

62

8 Stortplaats

'Deze kant op!'

'Hoe weet jij dat nou?'

'Ik kan oude auto's altijd van grote afstand ruiken,' zei Storm. *'Daar heb ik een neus voor.'*

'Maar we zoeken een trein.'

'Die zal wel ongeveer hetzelfde ruiken.'

Nu eerst nog de uitgang vinden. Dat viel niet mee. Waarom stond er nou geen bordje "uitgang", dacht Storm. Dat zou het leven een stuk makkelijker maken.

Er liepen mensen met oude stofzuigers, kinderwagens, lampenkappen, en iedereen wist blijkbaar precies waar hij moest zijn. Ja, kunst. Die kwamen hier vaker. Maar een leuke wegwijzer voor nieuwe klanten: ho, maar.

In gedachten stak Storm een weg over.

'Kijk uit!'

PIEEPP!

Met veel gekreun kwam een enorme vrachtwagen tot stilstand. Storm hield zijn hoofd omhoog en keek recht in het verschrikte gezicht van de chauffeur. Dat scheelde maar weinig.

'Wat moet dat daar?' klonk het woedend. 'Het is hier geen pretpark!'

Begon hij nou ook al over een pretpark? dacht Storm. Het leek juf Jannie wel.

'Sorry, meneer,' kwam Stef ineens tevoorschijn. 'We zoeken de opslagplaats voor auto's en treinen.'

'De wát?'

Ineens barstte de man in lachen uit.

'Een schroothoop met auto's, daar heb ik weleens van gehoord. Die is daar even verderop, zie je wel? Maar treinen?'

Hij gierde het uit. Zoiets geks had hij kennelijk nooit eerder gehoord.

'Lekker dan,' zei Stef. 'Zitten we **MOOI VERKEERD** hier.'

'We kunnen in de metaalbakken gaan kijken,' probeerde Stijn.

'Kansloos,' bromde Storm. Dat had hij allang gezien.

Die containers lagen vol met fietswielen, motorblokken, spiraalbedden. 'Dat spul is allemaal van de laatste paar maanden. Of een jaar, hooguit. Niks van heel lang geleden. En zeker geen honderdvijftig jaar.'

Hij liep naar de stalen stapel toe en trok een smalle staaf tussen het puin vandaan. Iets om een gordijn aan op te hangen of zo. In elk geval niet iets waarvan je denkt …

'Hu-hum!'

KLING! Van schrik had Storm de gordijnrail laten vallen.

'Wat zijn wij hier aan het doen?'

Een stevige kerel met *EEN WOESTE BAARD* keek de kinderen vermanend aan. Jullie weten toch wel dat hier geen kinderen mogen komen?

'Eh …'

'Van wie hebben jullie toestemming om hier rond te lopen?'

'Van *meneer van Puffelenbroek!*'

'Hè?'

66

Met een serieus gezicht liep Stef naar voren.

'Meneer van Puffelenbroek,' herhaalde Stef. 'Van de gemeente. Afdeling afval.'

Stomverbaasd keek Storm naar Stijn. Die kon zijn lachen bijna niet inhouden. Stef verzon het gewoon waar je bij stond.

'Nooit van gehoord,' bromde de man. Hij krabde zich aan zijn baard. 'Nou ja, de gemeentelijke organisatie is ook zo groot.'

'Meneer van Puffelenbroek heeft ons gezegd dat wij hier mochten komen voor ons project.'

'Project?'

'Inderdaad,' hielp Storm. 'Wij maken een werkstuk over afval.'

'*Spoorwegafval* om precies te zijn,' vulde Stijn aan.

'Heeft u dat hier toevallig?'

De man begon te lachen.

'Spoorwegafval. Dat is wel **de RAARSTE vraag** die ik hier ooit heb gehad. Dan zal ik effe moeten kijken.'

'Het mag ook best heel oud zijn, hoor,' zei Storm. 'Een jaar of honderdvijftig of zo.'

'Zulke bejaarde spullen hebben we hier niet,' schudde de man zijn hoofd. 'Maar wacht effe …'

Hij wees naar twee joekels van containers, die tegen elkaar aan stonden. Ze waren tot de rand toe gevuld met puin.

'Dat spul komt allemaal van het spoorgebied. Loop maar effe mee.'

Stef knipoogde naar Storm. Dit ging goed. Voorlopig.

Van Puffelenbroek. Hoe verzón ze het.

Bij de containers stonden twee mannen. Een lange met een staartje en een kleine dikke. Ze droegen werkkleding en bestudeerden een kaart.

67

'Heren!' zei de baardman. 'Kunnen jullie misschien helpen? Deze jongens hebben informatie nodig.'

'O,' zei de langste van de twee. 'Kom maar op dan. Wij weten alles. Of anders verzinnen we het wel. ***Zo zijn we dan ook wel weer.***'

'Dank u wel, meneer,' zei Stef zo beleefd mogelijk. 'Het is voor een project op school.'

'Ah,' zei de kleine. 'Mooi. School. ***Ik weet nog goed dat ik zelf***...'

'Daar hebben ze allemaal geen tijd voor,' onderbrak de lange hem. 'Waar zijn jullie naar op zoek?'

'Naar afval van de spoorwegen,' zei Stijn.

'Maakt niet uit wat voor afval?'

'Niet echt.'

'Liefst van *oude treinen,*' zei Storm snel.

'Ah,' lachte de kleine man. 'Zijn jullie fan van treinen? Dat is mooi. Ik weet nog goed dat ik zelf treintjes ...'

'Ja, hou maar op,' zei de lange snel. 'Geen tijd. Nee, jongens. We hebben hier geen oude treinen. Maar we vinden wel een hoop andere mooie spullen in het spoorgebied.'

'Ook dure spullen?'

Storm durfde dat wel te vragen. Die twee zouden toch niet meteen denken van: hé, zitten die kinderen achter een kroon aan of zo?

'Ook,' zei de man. 'Maar niet vaak.'

'En wat doen jullie daarmee?'

'Die nemen we mee naar huis. Zo zijn we dan ook wel weer.'

'Wat is het mooiste dat jullie ooit gevonden hebben?'

Stef had een pen gepakt en deed net of ze aantekeningen maakte. Net echt. De lange man haalde zijn schouders op.

'HET MOOISTE?'

Hij keek de ander aan.

'Die ouwe munten, toch? Uit de vorige eeuw.'

'Uit de eeuw vóór de vorige eeuw zelfs,' antwoordde zijn partner. 'Met de kop van Willem erop.'

'WILLEM II?'

De man knikte.

'Ik herkende hem meteen, met die *rare bakkebaarden* van hem. We hebben hier op een plein een standbeeld van hem staan. En ook eentje in het paleis. Ik weet nog goed dat ik ...'

'Jaja, nou weten we het wel weer,' zei de lange. 'Daar hebben we allemaal geen tijd voor. Munten dus. Die hebben we gevonden. En elke dag vinden we weer nieuwe dingen.'

'Echt waar?'

'Natuurlijk!' zei hij enthousiast. 'Het hele spoorgebied wordt opgeknapt. Groot project. En wij brengen al het afval deze kant op. We rijden wel vier keer per dag heen en weer.'

'Straks ook weer?'

Storm keek Stef aan. Aan de GLINSTERING in haar OGEN kon hij precies zien waar ze met die vraag naartoe wilde.

'Willen jullie een keer mee?'

Wauw! Het lukte nog ook!

'Nou, ja,' zei Stef, en ze showde haar liefste glimlach. 'Als het niet te veel moeite is.'

'Tuurlijk niet joh,' lachte de kleine man. 'Ik ben zelf ook wel eens meegereden toen ik zo jong was als jullie. Prachtig was dat! Ik weet nog goed hoe we toen ...'

'Ja, STOP MAAR,' zei de lange snel. 'Dat weten we

nu wel. Kom, we vertrekken over vijf minuten. Jullie mogen voorin. Zo zijn we dan ook wel weer.'

Yes, dacht Storm. Vet! Al was het maar de vraag of ze bij het spoorgebied iets zouden vinden. Maar ja, hier lag ook niks. Ja, genoeg om een vijfdehands fiets in elkaar te zetten, maar geen juwelen. En zeker niet van heel lang geleden.

'Is dit wel verstandig?' vroeg Stijn zacht, terwijl ze naar een vrachtwagen liepen.

'Nee,' grijnsde Stef. 'Maar daarom is het ook zo leuk.'

'Hoe groot is de kans dat die kroon daar ligt?'

'Bijna nul. Maar hier is de kans helemáál nul, dus ...'

'Dus moeten we het gewoon proberen,' vulde Storm aan. 'We zijn samen aan *dit avontuur* begonnen, en nu gaan we door ook.'

Hij keek Stijn met een schuin hoofd aan.

'Of wilde je soms afhaken?'

'Tuurlijk niet,' zei Stijn verontwaardigd. 'Wat dacht jij nou? Als deze twee mannen munten kunnen vinden van koning Willem II, kunnen wij een kroon vinden van koning Willem II. Makkelijk zat.'

Storm glimlachte en sloeg Stijn op zijn schouder.

'Zo ken ik je weer.'

'Zo, jongens. Instappen.'

De lange man deed de deur van de truck open. Stef klom meteen in de cabine, met Stijn daar vlak achteraan. Storm zag hoe de twee collega's nog even rond het voertuig liepen. Er stond een lege container op de oplegger. Klaar om nieuwe schatten te vervoeren. Misschien wel een schat van een miljoen euro. *VOL VERWACHTING* stapte Storm in. Gassen met die bak, dacht hij. Hij kon niet wachten.

9 Truck

'COOL!'

Storm had eigenlijk meer met sportwagens, omdat
voetbalprofs die vaak hadden. Maar meerijden in de cabine
van zo'n joekel van een truck, dat was toch ook wel even vet
kicken. Het leek wel of hij in een vliegtuig zat, zo hoog was het.
'Dus jullie zijn bezig voor school?'
Storm knikte.
'Een project rond treinen.'
Hij wilde er niet te veel over zeggen. Hoe meer leugens je
op elkaar stapelde, hoe moeilijker het was om je eruit te
kletsen. Voor je het wist hadden ze je door. En dat moesten
ze natuurlijk niet hebben.
'Halen jullie veel afval op bij het spoorgebied?' vroeg Stijn.
Nou, dacht Storm, die speelde het spelletje blijkbaar liever
nog even door.
'Enorm,' zei de lange man. Zijn korte collega zat achter het
stuur. Die had het te druk met op de weg letten. Ze gingen
dwars door de stad, en **de straten werden steeds
smaller.** Niet makkelijk met zo'n bakbeest van een
vrachtwagen.
'Ze zijn dat hele gebied aan het verbouwen. Slopen, bouwen,
opknappen, daar zijn ze wel even zoet mee. En wij dus ook.
'En vinden ze dan ook wel eens verrassende dingen?'
'Jazeker! Pas geleden nog. Dat was SPECTACULAIR.
Toen gingen ze graven en graven en graven, en weet je wat ze
toe ineens tegenkwamen, uit het verre verleden?'
Storm keek de anderen aan. Nee hè. Die kroon? Het zál toch
niet? Waren ze te laat met hun zoektocht? Was alle moeite

voor niets?

'Een vliegtuigbom! Uit de tweede wereldoorlog! Had daar al die tijd onder de grond gelegen!'

'Pfff!' deed Stijn opgelucht.

'Zeg dat wel ja: pfff,' reageerde de man. 'Stel je voor dat wij dat dingetje opgeladen hadden, dan hadden we nu in HONDERDDUIZEND STUKJES in een baan om de aarde gevlogen. Zo hard kunnen die krengen ontploffen.'

'Ik heb ook weleens een bom gevonden,' zei de kleine chauffeur. 'Ik weet het nog goed. Ik was ...'

'Ja, daar hebben we nu even geen tijd voor.'

'Waarom niet?'

'Omdat je moet stoppen,' antwoordde de lange. 'De weg is geblokkeerd.'

Storm schrok. Geblokkeerd? Hoezo?

'Oh, oh,' zei Stef. 'Politie.'

'Daar ben je toch niet bang voor?' vroeg de lange man. 'Dat zijn ook maar mensen, hoor. Meestal.'

Hij grinnikte.

'Of hebben jullie soms een bank beroofd?'

Rustig maar, gebaarde Storm naar de andere twee. Vooral geen opvallende dingen doen. Dan is er niets aan de hand.

Een man met een vrolijke snor en een oranje veiligheidsvest hield zijn hand omhoog. Hij maakte een gebaar van: doe je raam even open.

'Wat is er, agent?' vroeg de kleine, dikke chauffeur. 'Reed ik te hard? Of door rood?'

'Nee, hoor. We zijn alleen maar op zoek.'

'Naar wat? Is er een OLIFANT ontsnapt?'

Hij moest erg om zichzelf lachen.

'Nee, wij zoeken een paar personen. Ze lopen hier ergens rond, maar we weten niet waar.'

Nee! Nu al? dacht Storm. Hij keek door het zijraampje van de truck. De kerkklok gaf vijf over half vier aan. Het zou zomaar kunnen, dacht hij. Juffrouw Jannie wachtte nooit lang met in paniek raken. ZO ONOPVALLEND MOGELIJK maakten de drie zich klein. De agent mocht hen niet zien.

'Om wie gaat het?' vroeg de lange, die half over z'n collega heen hing.

'Kijkt u maar.'

De agent hield iets omhoog. Een foto?

'Brr,' zei de chauffeur. 'Die zien er *CRIMINEEL* uit.'

Crimineel? dacht Storm. Wij?

'Dat zijn ze ook,' zei de agent. 'Deze man en deze vrouw zijn twee **BEKENDE juwelendieven.**

Hé, het ging over die twee van daarnet! Bekende juwelendieven!

'De vrouw heeft opvallend rood haar,' ging de agent verder, 'en de man is kaal en heeft een baardje. Ze hebben waarschijnlijk wapens.'

Storm slikte. Wapens?

'We zoeken ze al maanden, en een half uurtje geleden zijn ze hier in de stad gesignaleerd.'

'Waar?'

De agent kreeg pretoogjes en grinnikte.

'U gelooft het nooit! Ze waren in een open graf gevallen op het kerkhof.'

'Wát?'

'U hoort het goed. En toen de echte begrafenis begon, zijn ze er door familie van de overledene uitgehaald.'

'*Dat verzin je niet!*' riep de lange man. 'En toen?'

'Toen zijn ze **ONTSNAPT**. Niemand weet waar ze zijn.'

De lange klapte in zijn handen van pret.

'Horen jullie dat, jongens? Dat is toch lachen, gieren, brullen?'

'Ja, lachen,' zei Stijn zacht.

De agent rekte zijn nek en keek verder de cabine in.

'Heeft u passagiers?'

'Mwa, paar kids. Drie. Die geven we even een lift.'

Storm probeerde zo nonchalant mogelijk te kijken. Alsof het de **NORMAALSTE** ZAAK VAN DE WERELD was dat ze daar zaten. Alsof ze elke dag niets anders deden. Ook de anderen trokken hun onschuldigste gezicht.

'Oké,' zei de agent. 'Rij voorzichtig.'

En dicht ging het raampje.

'*WHOOO,*' zei Stef zacht.

'Ja,' reageerde Stijn. 'Heftig, zeg.'

De lange man hoorde het.

'Jullie zijn toch niet bang?' vroeg hij grijnzend.

'Tuurlijk niet,' zei Storm. 'Ik zou niet weten waarom.'

'Dat dacht ik ook. De kans dat jullie die twee criminelen tegen het lijf lopen is kleiner ...'

' ... dan dat je een miljoen wint in de loterij!' maakte de kleine de zin af. Hij moest er zelf hard om lachen.

Storm zuchtte. Hij wist niet precies of dat nu van opluchting was, of van angst, of van vermoeidheid. Zo'n *HEFTIGE dag* had hij lang niet meegemaakt. Wie had dat zien aankomen, toen ze vanmiddag met juf Jannie op pad gingen? Hij niet. Een saaie toestand zou het worden. Dacht hij.

Rustig reden ze verder. Boven de huizen verschenen hoge hijskranen. Ze zwenkten heen en weer met zware

75

voorwerpen.

'We zijn er bijna,' zei de lange. 'Achter dit huizenblok is het spoorgebied. Daar vind je alles wat je van treinen wilt weten. En van de troep die we daar vandaan halen.'

Ze draaiden een weg in die alleen bestemd was voor bouwverkeer. Vet, dacht Storm. Daar mag **NIEMAND ANDERS** komen. En wij wel.

Piepend en krakend kwam de vrachtwagen tot stilstand. Overal stonden hekken, liepen mannen met veiligheidshelmen en reden kleine wagentjes af en aan. Bij een grote hal met een halfrond koepeldak stond een groepje mensen. Een vrouw met een gekleurde paraplu gaf uitleg over iets interessants. Ze maakte brede gebaren met haar armen, en alle mensen knikten enthousiast.

'Daar moeten we zijn,' fluisterde Stef.

'Bij zo'n rondleiding?' vroeg Stijn. 'Waarom?'

'**Dan vallen we** MINDER OP tussen al dat werkvolk. En misschien leren we zo heel snel iets over het spoorgebied. Het heeft geen zin om hier in het wilde weg naar een kroon te gaan zoeken. Dan ben je weken bezig.'

Dat klonk logisch, vond Storm. Al had hij totaal geen zin om wéér bij een gids te lopen. Net als in dat paleis. Daar moest hij altijd zo ontzettend van gapen. Daar kon hij niks aan doen. Het ging vanzelf. Het leek soms wel of hij *allergisch* was *voor gidsen.*

'Uitstappen, jongens.'

De lange man hield de deur weer open. De motor van de vrachtwagen draaide nog.

'Veel succes hier. Ik hoop dat jullie wat vinden voor het project.'

'Dank u wel,' zei Stef beleefd. 'Ook voor de lift en zo.'

'Zo zijn we dan ook wel weer.'

'Wel uitkijken voor LOSLOPENDE CRIMINELEN, hè!'

De kleine, dikke man moest er zelf weer hard om lachen.

'Ik heb het zelf weleens meegemaakt,' zei hij tegen zijn

collega. 'Ik weet het nog goed, het was ...'

De rest hoorden ze niet. Met veel kabaal reed de vrachtwagen

weg, in de richting van de **HIJSKRANEN.**

10 Spoor

'En in deze hal werden de wagens van de treinen gemaakt.
Het heet dan ook de wagenmakerij.'
De gids wees met haar paraplu in een lege ruimte.
'Originele naam,' fluisterde Stef. 'Daar hebben ze heel
lang over nagedacht.'
Stijn grinnikte. Breed gebarend vertelde de gids nog wat
weetjes over de wagens en de wagenmakerij. Haar stem
weerkaatste tegen de kale muren. De deelnemers aan de
rondleiding mompelden wat. Ze waren erg benieuwd naar
het verleden van de hal.
'Dit is nog *saaier* dan dat paleis,' mopperde Storm.
De gids had niet eens gemerkt dat ze bij de groep waren
gekomen. Een wat ouder echtpaar had even achterom
gekeken, maar niets gezegd. Eigenlijk prima zo. Hoe
onopvallender ze mee konden lopen, hoe beter.
'Heb jij al iets aparts gezien?' vroeg Stijn zacht.
Storm knikte van nee. Zijn gevoel zei hem dat ze een paar
honderd meter verderop moesten zijn, in de buurt van de
hijskranen. *DÁÁR* was de actie. Dáár werd gewerkt.
Hier werd alleen gepraat.
'In 1863 werd hier in Tilburg de eerste spoorlijn geopend.
Vanuit Breda. In dat jaar was ook het oude station klaar.
Dat is dus honderdvijftig jaar geleden. Inmiddels is dat oude
station vervangen door het huidige gebouw. Dat ziet u daar
achter die loods.'
Stijn stootte Storm aan.
'Hoor je dat? **HONDERDVIJFTIG JAAR** geleden.'
'Ja, en?'

'Zegt je dat niks?'

'Weet ik veel.'

'Nee, jij weet echt niet veel. Honderdvijftig jaar geleden! Dat was uit de tijd van *VAN GOGH!* '

'Hadden jullie een vraag?'

Oeps! De stem van de gids. Ze hadden te hard gepraat.

'Ja ik,' stapte Stef brutaal naar voren. Storm glimlachte. Typisch Stef. En ze had nog gelijk ook. Ze kon maar beter hardop een vraag stellen, anders begonnen mensen zich misschien aan hen te ergeren.

'Is Vincent van Gogh hier ook met de trein gekomen?'

De groep grinnikte. *Dom kind,* zag je ze denken. Wat had die beroemde schilder nu met dit spoorweggebied te maken?

'Dat is helemaal niet zo'n rare vraag, hoor,' zei de gids.

'Van Gogh is hier naar school gegaan. In die tijd bestond de spoorlijn hier nog maar net een paar jaar. En hij kwam vanuit het westen, dus de kans is inderdaad groot dat hij met de trein gekomen is. Goede vraag, jongedame.'

Het gegrinnik was veranderd in bewonderend gemompel.

'Weet je wat trouwens ook leuk is om te weten?'

De gids raakte ineens op dreef. Eindelijk kon ze eens iets anders vertellen dan wat ze uit haar hoofd geleerd had.

'Een schoolvriendje van Vincent is later architect geworden. Niet zo bekend hoor. Maar de zóón van die architect werd ook weer architect, en die heeft hier in het spoorgebied een **HEEL** bijzonder gebouw ontworpen.'

Ze wees met haar paraplu.

'Dat gebouw ligt daar, vlak bij die hijskranen daar. **De polygonale loods.**'

'Poly-wat?' zei Storm.

De gids lachte.

'Ja, dat is een moeilijk woord. Het is ook iets bijzonders. Daar waar de meeste gebouwen uit die tijd rechte of ronde muren hadden, had deze een heleboel hoeken. Polygonaal betekent veelhoekig.'

'*VEELHOEKIG* ...' herhaalde Storm zacht.

De gids lachte en ging al lopend door met haar verhaal. De stoet volgde braaf. Ze verdwenen achter een muur.

'Hoorden jullie dat?'

Opgewonden keek Storm opzij. Stijns mond hing half open en in Stefs ogen was verbijstering te lezen. Ze hadden het gehoord. ***Het schoolvriendje van VAN GOGH.*** De jongen met wie hij de veelhoekige kroon had verstopt. De enige die samen met Vincent wist waar de schat lag. Dat schoolvriendje had het geheim doorverteld aan zijn zoon, en die had hier jaren later een loods gebouwd. Een veelhoekige loods. Dat kón geen toeval zijn. Daar móést de kroon liggen. Wauw, dacht Storm. Dit wordt leuker en leuker.

Spoorzoeken bij het spoor.

'Hoe komen we bij die loods?'

'Niet,' zei Stijn. 'Die ligt midden op het bouwterrein. En daar staan overal hekken omheen.'

'*Niet bestaat niet,*' zei Stef. 'We vinden wel iets. Ieder hek heeft een zwakke plek.'

'Hee, dat rijmt,' zei Stijn.

Storm liep naar buiten. Stef en Stijn sjokten achter hem aan. Storm was het met Stef eens. Ze waren er nu bijna. Zo'n kans kregen ze nooit meer. Ze moesten snel zijn. Hij voelde in zijn broekzak.

'Nee!'

'Wat is er?'

'MIJN MOBIEL!'

'Kwijt?'

Storm knikte langzaam. Ze vermóórden me thuis, dacht hij.
Het was wel een afdankertje van zijn vader, maar toch. Hij
was een van de weinigen in de klas met een smartphone, dus
het dingetje was **MEGASUPER**BELANGRIJK.

'Wanneer heb je hem voor het laatst gezien?'

'Op het kerkhof, denk ik.'

'Dan ben je hem verloren toen we onder de takken lagen,' zei
Stijn. 'Dat lijkt me het meest logisch.'

Storm liet zijn schouders zakken en zuchtte.

'Lekker dan.'

'Hé,' zei Stef. 'Dat zeg ik altijd.'

Ze lachte.

'Ach, wat. Het is maar een apparaatje. Geeft niks. En zo kan
juf Jannie ons ook niet bereiken. Ik vond het al zo gek dat ze
ons nog niet gebeld had. Die ligt nu ergens tussen het groen
te *TRILLEN*.'

'Juf Jannie?'

'Ja, die ook,' grinnikte Stef. 'Maar ik bedoelde die
smartphone.'

Die smartphone. Storm zuchtte. Jammer, jammer. Het was
nu ongeveer kwart voor vier, schatte hij. Dat betekende
dat juf Jannie inmiddels minstens drie woedeaanvallen en
vijf hartverzakkingen achter de rug had. Het zou hem niets
verbazen als straks de eerste politiehelikopters verschenen.
Plus tientallen auto's met LOEIENDE SIRENES en
enorme hordes agenten die te paard of te voet de hele stad
en omgeving zouden doorkruisen. Juf Jannie was hysterisch

81

genoeg om dat te regelen. En als ze eenmaal gevonden waren, was het avontuur ten einde. Dat was wel duidelijk.

Gehurkt gingen ze achter een berg zand zitten.

'Nog een keer doen alsof we met een project bezig zijn?'

'Dat werkt hier niet, joh.'

'Want?'

'Op een bouwterrein is het *GEVAARLIJK*. Overal gaten, puin, vrachtwagens. En je moet een helm op.'

Storm zuchtte. Stijn had wel gelijk. Wat nu?

'Kijk daar eens!'

Stef wees naar een hoog hek dat om het bouwterrein heen stond. Vóór dat hek lag een flinke kuil. Naast de kuil lagen grote, betonnen pijpen. Twee mannen zaten boven op de pijpen te praten. De kuil was afgezet met rood-wit lint.

'VERBODEN TOEGANG,' zei Stijn.

'Vanwege zo'n dom lintje?' vroeg Stef met een knipoog. 'Maar dat weten wij toch niet? Als lieve, kleine, schattige kindjes?'

'Wat wil je dan? De kuil in en een tunnel onder het hek door graven?'

'Nou, nee,' zei Stef. 'Met een beetje geluk ...'

'Is dat al voor ons gedaan!' riep Storm. 'Tuurlijk!'

Ineens begreep hij het. **Die pijpen waren rioolbuizen!**

Zo groot dat je er makkelijk doorheen kon kruipen. Als het even meezat, hadden ze er ook een in de kuil liggen. Kant-en-klaar in de grond. Dan konden ze zo onder het hek door.

'Maar die mannen dan? Die op die pijpen zitten?'

'Geen probleem. Blijf zitten en wacht op mijn teken.'

Zonder een reactie af te wachten rende Stef op de mannen af.

'*SNEL!*' riep ze.

De twee keken verbaasd op.

'Wat is er aan de hand?'

'Ik was net bij mijn vader,' zei Stef snel. 'Die is bewaker hier. Hij heeft hulp nodig. Er proberen mensen over het hek heen te klimmen.'

DE MANNEN SPRONGEN OP.

'Waar?'

Stef wees naar de zijkant van het bouwterrein, ver weg van de kuil. De twee keken elkaar aan.

'Vast weer een paar koperdieven,' zei de een. 'Die komen weer wat materiaal stelen.'

De ander knikte.

'Dan moeten we snel zijn.'

Ze sprintten in de richting van de plek die Stef net had aangewezen. Stef zelf draaide zich triomfantelijk om. Kom, gebaarde ze.

'Goed zeg,' zei Stijn.

'Makkie,' grijnsde Stef. 'Werkt altijd. MANNEN ZIJN ZO DOM.'

'Ja, dûh.'

'SNEL!' riep Storm. 'Voor ze terugkomen.'

Achter elkaar gingen ze de kuil in. Die was nog best diep. Er lag inderdaad een rioolbuis onder de grond.

'Passen we daar wel doorheen?' vroeg Storm.

'Kinderen wel,' zei Stijn.

'En waar kom je dan uit?'

'In de wc van de hoofdconducteur.'

'Echt?'

'Nee, natuurlijk niet, DOMBO. Dat riool is toch nog nergens op aangesloten. Die buis is helemaal schoon.'

Storm kroop naar binnen. Het beton voelde korrelig aan, en

een beetje vochtig. Maar niet vies. Raar idee, dacht hij, dat daar over een tijd *poep en pies* doorheen zou stromen.

'Is het nog ver?'

'Nog een paar meter.'

'En dan?'

'Dan pak ik de kroon en dan gaan we weer terug.'

'Haha.'

'Ja,' zei Storm. 'Wat is dat nu voor rare vraag. Weet ik veel.'

'Nee, jij weet niet veel.'

Heel VOORZICHTIG stak Storm zijn hoofd door het gat van de rioolbuis. Aan deze kant was de kuil minder diep dan aan de andere kant van het hek. Overal klonken geluiden, maar er was geen mens te zien. In elk geval niet dichtbij. Hoog boven hem zwenkte de arm van een hijskraan. Storm volgde de beweging van rechts naar links. En toen zag hij **HET**. Iets verderop links. Een groot gebouw met glazen muren. Niet afgerond, maar met heel veel hoeken. De polygonale loods.

11 Loods

'Ik haat schilders,' zei Storm.

Ze waren ongezien achter een stapel verfblikken gekropen.

De enige plek bij de polygonale loods waar ze zich konden verstoppen.

'Hoezo haat jij schilders?' vroeg Stef.

'Niet alle schilders,' zei Storm. 'Vooral Vincent van Gogh.'

'O.'

'Ik bedoel: hij had ook gewoon kunnen zeggen waar hij die kroon verstopt had. Met een **nauwkeurige tekening** erbij van de precieze plek. Nu moeten we wéér gaan zoeken.'

'Ja, erg hè?' lachte Stef. 'Krassen ontcijferen in een ouwe kelder, boeven in een open graf gooien, achter in een aanhangwagen naar een stortplaats, voor in een vrachtwagen naar hier, door een rioolbuis kruipen, saai hoor.'

Storm zuchtte. Stef had gelijk. Zonder de dertienjarige Vincent was deze middag nooit ZO VET geweest.

'Oké,' zei hij glimlachend. 'Van Gogh was best cool.'

'We moeten gewoon logisch nadenken,' zei Stijn. 'Dan vinden we de kroon wel.'

'Ik ben niet van het denken,' bromde Storm. 'Of het nou logisch is of niet.'

We hebben meer informatie nodig, dacht hij. Automatisch voelde hij aan zijn broekzak. O, ja. Dat was waar ook. Z'n mobiel was weg. *Er viel niets te googelen.*

'Jongens, even alles op een rijtje.'

Als een echte schoolmeester krabde Stijn aan zijn achterhoofd. 'Volgens al onze aanwijzingen zijn we hier goed. In een gebied met treinen, bij een veelhoekig gebouw,

85

gemaakt door iemand die wist van een veelhoekige kroon …'

'Ja,' zei Storm. 'Maar ook tussen de hijskranen, tussen de bouwvakkers, tussen het sloopafval …'

'Precies,' bleef Stef optimistisch. 'Dat wordt een makkie.'

Storm keek bedenkelijk.

'Waarom is die kroon nog niet eerder gevonden dan?'

'Omdat bijna niemand nog wist dat hij bestond.'

'Nee, dan ga je ook niet zoeken.'

'**TUURLIJK,**' zei Stijn. 'Maar je kunt er ook toevallig tegenaan lopen. Een beetje kroon blinkt nogal. Behalve …'

'Behalve als hij ergens in zit,' vulde Storm aan. 'In de grond bijvoorbeeld.'

'Of in een verpakking,' zei Stef.

'Een verpakking?'

'Tuurlijk. Zo zou ik het tenminste doen. Juwelen stop je niet zomaar **KLAKKELOOS** IN DE GROND, die wikkel je in een doek of zo. Anders raken ze beschadigd.'

Storm zuchtte.

'Maar dat betekent dat we ons hier suf gaan zoeken naar iets wat ze misschien allang weggehijskraand hebben. Zonder dat ze het wisten.'

'Hé daar!'

Meteen doken de drie in elkaar. WIE was dat? WAAR was dat? 'Waar moet ik deze spullen kwijt?'

Pffff! Het was tegen iemand anders.

'Weer van die ouwe meuk?'

'Yep.'

'In het depot. Zoeken we later wel uit.'

'Oké.'

Storm keek de andere twee vragend aan.

'HET DEE-WÁT?'

'Dee-poo,' zei Stijn. 'Dat is een soort opslagplaats.'

'Waarom zeggen ze dat dan niet?'

'Zie je waar hij heen gaat?'

Snel gluurde Storm tussen de verfblikken door.

'Hij gaat hier naar binnen.'

'Wat heeft-ie bij zich?'

Door de kier zag Storm een man in een blauwe overall met een gele helm op zijn hoofd. Hij droeg twee oude paraplu's en een versleten schoen. Die hadden al een hele tijd onder de grond gelegen, zo te zien.

'Niks belangrijks.'

De man liep door een zij-ingang van de loods naar binnen, en kwam even later met lege handen weer naar buiten.

'Hij heeft het spul gedumpt,' zei Storm.

'DAT IS GOED NIEUWS.'

Storm keek Stef verbaasd aan.

'Goed nieuws? Een oude paraplu is goed nieuws?'

'Tuurlijk,' zei Stef. 'Het betekent dat ze gevonden voorwerpen niet zomaar weggooien. Dat ze een plek hebben waar ze dat spul verzamelen. Dat lijkt me goed nieuws.'

Stef had gelijk.

'Heeft hij die paraplu goed onderzocht?' vroeg ze.

'Ik denk het niet,' zei Storm. 'Hij had er twee, plus nog een ouwe schoen, en hij was binnen vijf seconden weer buiten.'

'Mooi,' knikte Stef. 'Ook goed nieuws.'

Storm begon het te begrijpen. Als er amper naar die spullen werd gekeken, kon het ook zomaar zijn dat er kostbare juwelen tussen zaten. Zonder dat ze er erg in hadden. Een

87

onherkenbaar ingepakte kroon of zo. Om maar wat te noemen.

'We moeten daar naar binnen.'

Pfieeeeeett! Ineens klonk er een hoge fluittoon over het terrein. De hijskraan hoog boven de kinderen kwam tot stilstand. Motoren van apparaten zwegen. En van alle kanten kwamen mannen tevoorschijn.

'EINDELIJK!'

'Had ik net zin in.'

'Ik dacht dat het nooit vier uur zou worden.'

'Jij ook een bakkie?'

'Doe maar zwart.'

Aha, dacht Storm. Koffiepauze. Dat was handig. Alle pottenkijkers voor een paar minuten uit de buurt.

'Dit is onze kans,' siste hij.

De anderen knikten.

'We moeten snel zijn. Lang kan zo'n pauze nooit duren.'

'Go!'

Ze kropen achter de verfblikken vandaan en liepen om de loods heen. Storm wist wel meteen waarom er op hun schuilplek zoveel verfblikken stonden. Het gebouw kon wel een likje gebruiken. Hij voelde aan de deur van de zij-ingang. Open. HEEL VOORZICHTIG liepen ze naar binnen.

'En?'

'En wat?'

'Is het leeg?'

'Dat hoop ik niet.'

'Zijn er mensen, bedoel ik.'

'Alleen juf Jannie.'

'Wát?'

'Nee, joh. Er is niemand.'

Wat een **ZOOTJE** hier, dacht Storm. Overal lagen stapels gebruiksvoorwerpen, kledingstukken en huishoudelijke artikelen. De oogst van maanden, dat kon niet anders.

'Waar ligt het oudste spul?'

Stef duwde een oude koffer opzij. Die lag tussen andere reisspullen.

'Volgens mij zit er een soort systeem in,' zei Stijn. 'Alles wat met treinpassagiers te maken heeft, ligt op deze stapel. Paraplu's, tassen, koffers, allemaal dingen die reizigers hebben achtergelaten. Of uit het treinraam gegooid.'

89

'En dit?'

Stef stond bij een stapel kleren.

'Misschien van zwervers of zo. Die zullen hier ook wel gezeten hebben in de afgelopen honderdvijftig jaar.'

'Toevallig nergens een afdeling voor kronen?' vroeg Storm.

Stef grinnikte.

'Dat zou WEL HANDIG zijn, ja.'

'En hier dan?'

Stijn wees naar een grote stellingkast, die tegen de muur stond. Op lange, houten planken waren voorwerpen geplaatst die blijkbaar niet op een gewone stapel hoorden. Vaasjes, kistjes, een kandelaar, zelfs een klein Mariabeeldje stond erbij.

Het zag er allemaal niet kostbaar uit, vond Storm. Van het beeld ontbrak een arm, de kandelaar was compleet verroest en de meeste vaasjes barstten van de barsten.

'Ik geloof *NOOIT* dat hier dure dingen liggen,' zuchtte hij.

'Hm,' knikte Stijn. 'Die oude munten waar die ene man het over had, op de vuilstortplaats, kan ik ook al niet vinden. Die heeft hij vast mee naar huis genomen.'

'Net als al het andere dat geld waard is.'

'Hé jongens!'

Stef wees naar boven, naar **een plank die wat HOGER tegen de muur hing.** Er stonden houten kistjes op, in allerlei soorten en maten.

'Zien jullie dat?'

'Ja,' bromde Storm. 'En het blinkt niet. Dus kom nou maar mee. We hebben geen tijd om ...'

'Je kijkt niet!'

'Wat valt er dan te zien?'

90

'Dat donkere kistje daar, het derde van links. Dat ken ik!'
Storm keek nog eens goed. Het zag er niet bijzonder uit.
Vierkant, barsten, en een houtsnijwerk van ...
'Bloemen en vogels!'
Storm sloeg zijn hand voor zijn mond.
'**Dat is net ZO'N KIST** als in die kelder, onder het huis
van Van Gogh!'
'Zie je wel!' riep Stef. 'Ik dácht al ...'
'Dus dáárom zette hij die kist bij die pijl,' zei Stijn. 'Ik dacht
dat dat met dat kerkhof te maken had.'
'Nee, dat was blijkbaar alleen dat kruis, weet je nog? Met die
spijlen van dat hek. We hebben op dat hele kerkhof geen kist
gezien.'

'Maar hier wel.'

Storm keek vlug om zich heen. Hij zocht iets om op te staan. *EN SNEL.* Ze moesten die kist van de plank pakken voordat de koffiepauze voorbij was.

'Kom hier,' zei Stijn. 'Ik geef je wel een zetje.'

Hij deed zijn handen in elkaar en ging met zijn rug tegen de kast staan. Storm zette zijn rechtervoet op Stijns verstrengelde vingers, trok zich aan diens hoofd omhoog en plaatste zijn voeten op Stijns schouders. Stijn wankelde.

'Sta stil man!'

'Ik sta stil. Schiet op.'

Storm keek naar boven. Dat moet kunnen, dacht hij. Vlug strekte hij zijn arm uit, wurmde de kist van zijn plek en trok hem naar zich toe.

'Hebbes!'

'Inderdaad. Hebbes!'

Van *SCHRIK* liet Storm de kist bijna vallen. Die stem!

'Dat hadden jullie niet gedacht, hè?'

De roodharige vrouw keek met een triomfantelijke grijns naar de drie kinderen. Naast haar stond, met zijn sterke armen over elkaar, de kale man met het baardje.

'Hier met die kist.'

92

12 Kist

'Maar hoe ...'

Storm was te verbaasd om zijn zin af te maken. De vrouw keek hem indringend aan en kwam langzaam dichterbij.

'Hoe? Dat is een heel verhaal, jochie. Te lang om hier te vertellen. **We zijn uit het graf opgestaan,** om het maar even kort samen te vatten.'

Stijn wiebelde onder het gewicht van Storm.

De man lachte hardop.

'Via via wisten we waar jullie zaten. Herken je dit?'

Hij hield een klein zwart apparaatje omhoog.

'MIJN SMARTPHONE!'

De grijns van de man werd breder.

'Jouw smartphone? Nee, hoor. Mijn smartphone. Ik heb hem eerlijk gevonden. Achter in een lege aanhangwagen, bij de ingang van de begraafplaats.'

De man van de plantsoenendienst, dacht Storm, terwijl hij zich vasthield aan de plank. Die was natuurlijk teruggereden, om nieuwe takken op te laden.

'Erg onvoorzichtig, hoor,' zei de man, 'om te googelen naar "oud", "trein" en "spoor". Daardoor dachten we dat we jullie hier wel zouden vinden.'

'Geef terug,' zei Storm, en hij knikte naar zijn smartphone.

'Ruilen voor die kist?' vroeg de man.

'Oké.'

'WÁT?'

Stef keek verontwaardigd omhoog naar Storm.

'Dat doe je toch niet?'

Storm stak het kistje naar voren. Stijn WANKELDE

93

onder zijn gewicht. Grijnzend kwam de man dichterbij. Plagerig zwaaide hij wat heen en weer met het mobieltje.

'Niet doen, Storm.'

'Waar bemoei jij je mee!' riep de man kwaad.

Even keek hij opzij. Dit was het moment.

'Nu!' riep Storm, en hij sprong van de schouders van Stijn naar beneden. Met de kist knalde hij tegen de borst van de kale man.

'Auu!'

'RENNEN!'

Meteen sprintten de drie achter elkaar aan. Door de zij-ingang naar buiten. Het depot uit.

'Heb je de kist nog?'

'Tuurlijk!'

'En je smartphone?'

'Ach, die was toch leeg.'

Buiten was niemand te zien. Daarnet was het nog prettig dat alle werklui even pauze hadden, maar nu konden ze wel wat hulp gebruiken. Waar waren die bouwvakkers als je ze nodig had?

'Blijf staan!'

Ja, daag, dacht Storm. Blijf lekker zelf staan. Ze renden langs de opgestapelde verfblikken en met een rotgang stoven ze de hoek om.

'Niet laten vallen!' riep Stef.

Ja, dûh, dacht Storm. Alsof hij EEN MILJOEN door z'n vingers zou laten glippen.

'Wat moet dat daar?'

Hèhè. Daar was de eerste blauwe overall.

'Het is hier geen pretpark!'

Wat heeft iedereen toch met pretparken vandaag? dacht
Storm. Help ons liever. Zie je dan niet dat we achtervolgd
worden? Ze renden om een gebouw heen, langs een
betonmolen, tussen steigers door.

'Waar was dat riool ook alweer?' hijgde Stijn.

'GEEN TIJD!' gilde Stef. 'Gaat te langzaam!'

'En jij ook, Stijn!' riep Storm. 'Doorrennen!'

Hij keek achterom. De kale man volgde op een meter of
twintig. De vrouw rende daar vlak achteraan. Te dichtbij.
Veel te dichtbij. Weer holden ze een hoek om. *OH, NEE!*

'Het loopt dood.'

Aarzelend kwamen ze tot stilstand. Een hoge dijk versperde
de doorgang. Daarachter, achter een nog hoger hek, liep het
spoor. Er denderde net een sneltrein voorbij. Oorverdovend
dichtbij. Wat nu? Storm keek naar het kistje in zijn handen.
Best lastig om mee te rennen. Hij had het nog niet eens open
kunnen maken, maar *het voelde allesbehalve leeg* aan.

'Daar zijn ze!'

De stem van Stijn kwam boven het geluid van de trein uit.
Om de hoek verscheen een kale kop. En vlak daarachter een
hoofd met rode haren. Ze zagen direct dat de kinderen geen
kant op konden. Meteen stopten ze met rennen.

'Zo, kleine rotjochies,' zei de vrouw. 'Het speelkwartier is
voorbij. Hier met die kist.'

Storm deed zijn handen steviger om het houten ding heen.
Hij voelde iets zwaars schuiven. Iets GEWICHTIGS.
Iets WAARDEVOLS. Dat mocht nooit in handen
vallen van dit stelletje boeven. Nooit! De drie stonden nu half
op de dijk, bijna bij het hek. Storm keek omhoog. Een meter
of drie, schatte hij. Dat moest hij kunnen halen.

'Doe niet zo stom!' siste Stef.

'Weet jij iets beters?'

'Ze hebben wapens.'

'O, ja?'

'Dat zei die agent toch vanmiddag?'

'Ik heb geen keus,' zei Storm. 'Het móét.'

Hij zwaaide met zijn armen, draaide als een echte discuswerper om zijn as en ...

'Niet doen!'

De kreet van de roodharige vrouw kwam te laat. Daar vloog de kist. Door de lucht, over het hek, boven op de dijk. Hij rolde nog een klein stukje door , en precies tussen de rails kwam hij tot stilstand.

'STOMMERD!'

Woedend rende de man op Storm af. Die kromp ineen. Hij was de pijnlijke arm van een paar uur geleden nog niet vergeten.

'De kist!'

De kreet van de vrouw klonk dringend.

'Laat hem maar! Eerst de kist!'

Onmiddellijk keek de man door het hek naar de rails. Storm zag hem denken. Als er nu een trein over die kist heen rijdt, is al het werk voor niets geweest. Al die jaren voorbereiding. Voor niets. Hij nam een aanloop, klampte zich vast aan het hek en klom naar BOVEN. Dat was niet eenvoudig.

'Sneller!'

In de verte klonk een rommelend geluid. Het kwam in hoog tempo dichterbij. Er kwam een trein aan!

'Schiet op!'

Met een ENORME krachtsinspanning trok de

man zijn lijf over de rand van het hek. Hij liet zich met een plof op de dijk vallen, krabbelde overeind, liep naar de rails en ...

Bgbrrrrbmmmmrrmmmm!

Met een donderend geluid reed de trein langs. De kale man lag schuin op de dijk, met zijn vingers in zijn oren. De vrouw had haar handen voor haar ogen geslagen. Zij kon het niet aanzien. De kist met de kroon, *helemaal aan stukken* gereden door de voorbijgeraasde trein ...

'Hij ligt er nog!'

Stijn wees naar de kist. Hij was niet van zijn plaats verschoven. De trein was over het andere spoor langsgereden.

Pffff ...

Storm had geen idee of hij opgelucht moest zijn of niet. Wat was er beter? Een kroon zo plat als een pannenkoek? Of een kroon in handen van criminelen? Wist hij veel. Nee, hij wist niet veel. Waar bleven trouwens die werkmannen? Hoe lang kon een koffiepauze duren?

'IK HEB HEM!'

Triomfantelijk stak de man de kist in de lucht. Snel stopte hij hem onder zijn kleren en klom terug over het hek. Tevreden keken de twee naar de schat die ze zojuist hadden veroverd.

'Zal ik 'm openmaken?' vroeg de man.

'Straks,' zei de vrouw. 'We zijn hier nog niet helemaal klaar.'

Een gemene lach verscheen rond haar mond. Langzaam liepen ze op de kinderen af. Stijn kromp ineen. Stef kreunde zacht. En Storm ... Storm ZAG IETS BEWEGEN.

Boven de hoofden van de twee gezochte misdadigers.

Verbaasd keek hij omhoog. Zijn ogen werden groot. En groter.

97

'Kijk uit!' wees hij.

De vrouw grijnsde.

'Daar trappen wij mooi niet in, mannetje.'

'Wat een ouwe truc,' spotte de man.

'Maar het is geen ...'

TSJAK! Op datzelfde moment haakte een scherpe punt in het shirt van de man. Meteen werden zijn voeten van de grond getrokken. Hij ging omhoog! Een hijskraan had hem te pakken.

'Nee!' riep de vrouw. 'Hier met die kroon!'

Ze nam een sprong en klampte zich vast aan een bungelend been. Met z'n tweeën werden ze omhooggetrokken. Eén meter. Twee meter. Drie meter. Hun gezichten zagen wit van angst. Toen hield de hijskraan halt. Het was blijkbaar hoog genoeg zo.

'LAAT ONS LOS!'

Het klonk hartverscheurend.

'Willen jullie naar beneden?'

Een mechanische stem schalde over het bouwterrein. Dit kwam door een luidspreker. 'Oké,' galmde het tussen de gebouwen door. 'Kom maar terug op de grond dan.'

De kabel van de hijskraan zakte.

'Dank u wel!' klonk het beverig.

'En als jullie op de grond zijn, hoeven jullie maar één ding te doen.'

'En dat is?'

Om de hoek verscheen een politiewagen. Op het dak was een geluidsinstallatie bevestigd.

'Naast elkaar gaan staan met jullie handen omhoog. Jullie staan onder arrest.'

98

13 Kroon

'Opgeruimd staat netjes.'

Storm stond bij een politiewagen en liet de smartphone in zijn broekzak glijden. Tevreden keek hij toe hoe de man en de vrouw in een busje werden afgevoerd. Nog even keek een roodharig hoofd met woedende ogen in hun richting. Alsof ze zeggen wilde: "Wacht maar, jochie. We krijgen jullie nog wel." Maar *ECHT BANG* werd Storm daar niet van. Die twee gingen wel voor een tijdje de cel in.

'Ha, daar zijn onze helden.'

Er kwam een agent bij hen staan. Hij had donkere pretoogjes en een vrolijke snor. Waar had Storm die eerder gezien?

'Ik ken u ergens van,' zei Stijn.

'Ik jullie ook,' lachte de man. 'Ik heb jullie vanmiddag nog aangehouden, weet je nog? Toen jullie meereden in die vrachtwagen.'

Natuurlijk, dacht Storm. Dit was de agent die op zoek was geweest naar de juwelendieven. Die ook had gezegd dat de voortvluchtige man en vrouw waarschijnlijk wapens hadden. Storm slikte. WAPENS. Dit avontuur had ook heel verkeerd kunnen aflopen, besefte hij.

'Hoe wist u dat u hier moest zijn?' vroeg Stef.

De agent lachte en wees boven zijn snor.

'Speurneus, mevrouwtje.'

Stef glimlachte beleefd.

'Nee,' ging de agent verder. 'Vlak nadat ik jullie gezien had, kregen we bij de politie de melding dat er drie kinderen vermist werden. Twee jongens en een meisje. Ik was eerst nog in de war, want ik dacht dat jullie drie jongens waren.'

Stijn lachte en gaf Stef een por.

'Dat kan kloppen. Zij is ook eigenlijk een jongen.'

'En toen bent u hierheen gegaan.'

'Niet direct,' zei de agent. 'Ik heb het aan een collega doorgegeven. Zelf was ik met een andere opdracht bezig.'

'DE JUWELENDIEVEN.'

'Precies.'

Ze stapten in de politieauto. Vet, dacht Storm. Eerst achter in een aanhangwagen, dan voor in een vrachtwagen, en nu dit weer. **WAT EEN TOPDAG!**

'Maar hoe wist u dan dat die twee dieven hier zaten?' bleef Stijn doorvragen.

'Ja,' zei de agent, terwijl hij de motor startte. 'Dat is wel grappig. Dat komt door jullie smartphone.'

'Hè?'

'Ja, goed hè? Wij kunnen bij de politie elk mobieltje volgen. Dan zien we op een scherm waar dat ding is. En terwijl jullie met de vrachtwagen deze kant op kwamen, ging jullie smartphone van de begraafplaats naar hier. Rara?'

'En daar waren die twee dieven voor het laatst gezien.'

De agent knikte.

'Kwestie van één plus één is twee.'

'Hé, jullie!'

Een BEKENDE stem. Een lange man en een kleine dikke liepen lachend op hen af.

'Spoorwegafval zochten jullie, hè?'

Storm lachte en haalde zijn schouders op. Hij keek naar het kistje naast hem op de achterbank.

'Zoiets,' zei hij.

'Zitten zeker oude munten in, hè?' wees de kleine dikke. 'Best

101

veel waard, hoor. Ik weet nog goed dat ik een keer zo'n kistje
heb gevonden, en toen ...'

'Daar hebben ze vast geen tijd voor,' kapt de lange hem af.
'Ze moeten even bijkomen van *hun avontuur* hier. Je
wordt niet elke dag op de hielen gezeten door twee zware
criminelen.'

'Dat krijg je met die munten,' knikte de kleine.

'Het is maar goed dat we in de buurt waren,' lachte de lange
weer. 'Ik zag die twee achter jullie aan rennen, en ik kon nog
net op tijd een seintje geven aan die kraandrijver. Anders
had-ie nooit op tijd zijn haak laten zakken.'

'Dus **dat was JULLIE idee?**' vroeg Stijn verbaasd.

De kleine knikte trots.

'We hebben er zelfs onze koffiepauze voor opgeofferd.'

'Zo zijn we dan ook wel weer.'

'Nou bedankt,' zei Stef. Ze legde haar hand op de kist. 'Mede
namens de munten.'

De lange tikte tegen zijn helm, en de auto zette zich in
beweging. Langzaam reed de agent het spoorgebied af.

'Ze zullen wel blij zijn om jullie weer te zien, daar bij het paleis.'
Storm slikte. Bwèèk, weer terug naar juf Jannie. Met haar
rode, OPGEWONDEN hoofd. Die had hij nog nooit
blij gezien. Hij kon zich er niets bij voorstellen.

Twee pretoogjes keken via de binnenspiegel naar de
achterbank.

'*Wat zit er eigenlijk in dat kistje?*'

De drie keken elkaar aan. Inderdaad. Dat was de grote
vraag. Ze hadden een halve dag vol kelders, kerkhoven en
hijskranen achter de rug. Ze waren gegijzeld, achtervolgd en
bedreigd. Ze hadden in een avontuurlijke achtbaan gezeten

die heftiger was dan in welk pretpark dan ook. En nog steeds wisten ze niet of ze gevonden hadden wat ze zochten.

'Zijn het inderdaad munten?' vroeg de agent.

'Ik hoop het niet,' zei Storm zacht.

'Toch moet het *IETS KOSTBAARS* zijn. Die twee boeven gingen altijd alleen maar achter de duurste juwelen aan.'

Het kistje had een stevig deksel. In het houtsnijwerk zagen ze **bloemen en vogels.** Dezelfde als in de kelder van Van Gogh. Dit moest het zijn.

'Hoe maken we hem open?' vroeg Stef.

'Weet ik veel,' mompelde Storm.

'Nee, jij weet niet veel,' zei Stef.

'Wat dacht je van: gewoon deksel omhoog?' probeerde Stef.

'Kan niet. Hij zit op slot.'

'Lekker dan.'

'Ik heb wel ergens een paperclip,' zei Storm, terwijl hij een hand in zijn broekzak stak. 'Misschien kan ik daarmee ...'

'Hohoho,' zei de agent snel. 'Probeer dat straks maar. Als we bij het paleis zijn. Dat lijkt me ook beter dan hier op een hobbelende achterbank. Straks gaat er nog iets kostbaars kapot.'

Storm deed de paperclip terug en keek naar buiten. Daar waren de witte torens weer. Het *kasteelachtige paleis* waar alles was begonnen. Met propjesvoetbal bij een standbeeld.

De politieauto draaide het plein op. Daar stond een klein groepje mensen te wachten. Hun klasgenoten, wat extra agenten, de gids van de rondleiding. En een rood hoofd. Juf Jannie.

'*Waar wáren jullie nou?*'

De auto was nog niet gestopt, of ze was al *ONTPLOFT.*

103

'Wie heeft jullie toestemming gegeven om er zomaar vandoor te gaan? Nou?'

'Nou, nou, nou, RUSTIG MAAR JUFFROUW,' suste de agent. 'Deze drie kinderen hebben heel wat meegemaakt vanmiddag.'

'En het ergste moet nog komen,' dreigde de juf. 'Stelletje deugnieten.'

'Deugnieten?' reageerde de agent verbaasd. **'HÉLDEN** zijn het!'

Juf Jannie zweeg. Ze wilde nog wat zeggen, maar ze slikte nog net haar woorden in. Je zag haar denken. Helden? Wie? Die drie?

De agent legde zijn arm om Storms schouder.

'Deze drie hebben ervoor gezorgd dat we twee voortvluchtige criminelen hebben opgepakt. Juwelendieven die we al tijden zochten.'

Juf Jannie snapte er niets van.

'Bovendien,' ging de agent verder, 'hebben ze iets gevonden dat heel veel waard moet zijn, want die twee dieven waren er al jaren naar aan het zoeken.'

Hij knikte naar Storm. Doe maar, zeiden zijn pretoogjes.

Storm zette het kistje op de grond. Hij pakte de paperclip uit zijn broekzak en friemelde ermee in het verroeste slot.

KLIK! LOS.

Langzaam deed hij het deksel naar boven.

'Wat is het?'

De gids van het paleis had zich nieuwsgierig naar voren gewurmd. Storm pakte het voorwerp voorzichtig in zijn handen en trillend tilde hij het omhoog.

'De kroon!' gilde de gids. *'DE KROON VAN DE KONING!*

Hij is terug!'
Huilend van blijdschap sloeg de man zijn handen voor zijn gezicht. Hij kon zijn ogen niet geloven.
'Eindelijk ...'
Hij pakte het *kostbare kleinood* aan en bekeek hem van alle kanten. Het goud was een beetje dof geworden, de edelstenen hadden dringend een poetsbeurt nodig en van de hoeken waren wat randjes beschadigd, maar wat gaf dat? Het paleis had zijn kroon terug. Na honderdvijftig jaar!
'Maar hoe?'
'Zal ik zeggen hoe het gegaan is?' vroeg Stef.
Zonder een antwoord af te wachten barstte ze los. Over van Gogh, de tekening, het woord DERTIEN, de kelder onder het oude huis, de twee boeven, de graven bij het kerkhof, de tocht naar de stortplaats, het avontuur bij het spoor, alles kwam er in één lange woordenstroom uit.
'Dus Van Gogh was de dader ...'
Vol ongeloof schudde de gids zijn hoofd.
'Dus dáárom is hij toen zo *HALSOVERKOP* van school gegaan. Hij schaamde zich kapot voor wat hij had gedaan. En toen hij die kroon niet meer terug durfde te leggen, heeft hij hem verstopt. En een aanwijzing achtergelaten.'
'Dan ben je niet echt een boef, vind ik,' zei Stef. 'Een echte crimineel zou hem meteen hebben doorverkocht. Voor heel veel geld. Zoals die twee juwelendieven van plan waren.'
De gids knikte.
Dankbaar keek hij de drie aan.
'Deze kroon krijgt EEN **EREPLAATS** IN ONS PALEIS,' zei hij. 'En weet je wat?' Hij begon te lachen. 'Ik ben blij dat jullie zo ongehoorzaam zijn geweest.'

106

'Dáár wilde ik het nét nog even over hebben.'

Juf Jannie.

'Jullie ...'

Haar gezicht werd weer rood.

'Jullie stelletje kleine ...'

Storm draaide zijn gezicht weg. Alarm. Alarm. Daar kwam weer een uitbarsting.

'Jullie zijn geweldig!' riep juf Jannie toen.

Ze toverde een soort van lach op haar gezicht, voor het eerst van haar leven, sloeg haar armen om de kinderen heen en zoende ze een voor een op het hoofd.

Bah!

Storm KROMP INEEN. Dan liever een uitbarsting van woede, dacht hij. Een zoen van juf Jannie. Bwèèk!

'En omdat dit schoolbezoekje zo'n succes was,' ging de juf verder, 'gaan we volgende week wéér naar IETS MUSEUMACHTIGS.'

Nee! Niet wéér!

'Tenminste,' zei juf Jannie grijnzend. 'Als daar nog tijd voor is na het pretpark.'

Hè? Hoorden ze dat goed? Een pretpark?

'Om het te vieren,' zei de juf. 'En omdat school heel af en toe best een heel klein beetje leuk mag zijn. Zeker als je ongeveer net zo oud bent als Vincent van Gogh toen was.'

'Dertien.'

'Precies.'

'Klinkt goed,' zei Storm. 'Ik twijfelde net nog even, maar ik denk dat ik het nu wel zeker weet.'

'Wat zeker weet?'

Storm lachte.

'Dertien is **ABSOLUUT GEEN** ongeluksgetal.'

Vincents Tekenlokaal

DERTIEN jaar was hij. Vincent van Gogh. Toen
kwam hij vanuit zijn geboorteplaats Zundert naar
Tilburg, om les te krijgen op de Rijks-HBS. De Hogere
Burgerschool Willem II. Die zat in een heel deftig
gebouw: *het vroegere paleis* van Koning Willem II.
Die heeft er trouwens nooit zelf gewoond. Vlak voordat
het witte gebouw af was, ging de koning dood. En dus
bouwden ze het om tot school.

Tilburg was in die tijd nog niet zo heel groot. In **1866**,
het jaar dat Van Gogh kwam, had de stad net een eerste
spoorlijn. Wel stonden er al veel textielfabrieken. En
een Rijks-HBS. Vincent ging er om de hoek wonen,
en elke dag liep hij naar school en weer terug. Er is
een groepsfoto bewaard waar hij op staat. Een van
zijn leraren was een kunstenaar die toen heel bekend
was: Constant Huijsmans. Hij bracht Vincent de eerste
tekentechnieken bij. En Vincent leerde snel. Vincent was
een goede leerling.

Toch heeft Van Gogh maar anderhalf jaar in Tilburg
gewoond. Plotseling was hij verdwenen. Ineens had hij
de school verlaten. Niemand wist waarom. En niemand
kon weten dat hij later een van de **BEROEMDSTE
SCHILDERS TER WERELD** zou worden ...

DERTIEN jaar was ze. Pien van
Pamelen. Toen deed ze met tien andere
dertienjarigen mee met De Nieuwe
Vincent. Een halfjaar lang ging de groep
jonge tekentalenten elke week naar het
voormalige paleis van Koning Willem II.
Om te schilderen. Niet op doek, zoals de
oude Vincent ruim honderdvijftig jaar
eerder, maar op *supermoderne digitale*
tekenborden. Want op de plek waar ooit
de klas van Van Gogh was, is nu Vincents
Tekenlokaal. Je kunt er zien hoe het vroeger
was, maar je mag er ook met de nieuwste
computers werken.

Een echte stad gaat met zijn tijd mee. In 2013
had Tilburg allang geen textielfabrieken meer. Rond het
spoor veranderde er van alles. En tekenlessen waren een stuk
leuker dan vroeger. De Nieuwe Vincenten bezochten ateliers,
praatten met kunstenaars, neusden rond in musea en liepen
een dagje mee op een echte kunstacademie. De oude Vincent
zou zijn ogen hebben uitgekeken.

Pien deed dat ook. En ze maakte vervolgens *de tekeningen*
voor DIT boek. Geschreven door haar vader. Die was toch
al schrijver, dus dat kwam goed uit. Alle tekeningen van
Pien zijn gemaakt op de digitale tekenborden van Vincents
Tekenlokaal. Zonder hun geweldige medewerking zou
dit boek er nooit zijn gekomen. Vader en dochter zijn hen
eeuwig dankbaar. En roepen in koor: bezoek dat lokaal! Het
is absoluut de moeite waard.

www.vincentstekenlokaal.nl

SUPER leuk!
Ward

B.O.J.

Marco Kunst
Op de Noordpool!

Max, Milan en Makoto in actie

SUPER spannend!
Klaas

B.O.J.

Marco Kunst
Naar Afrika!

Max, Milan en Makoto in actie

SUPER spannend!
Klaas

B.O.J.

Marco Kunst
De Nolympische Spelen

Max, Milan en Makoto in actie!

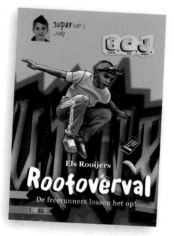

SUPER ver:)
Joep

B.O.J.

Els Rooijers
Roofoverval

De freerunners lossen het op!

SUPER ver:)
Joep

B.O.J.

Els Rooijers
H5N1 terreur

De freerunners lossen het op!

SUPER ver:)
Joep

B.O.J.

Els Rooijers
Alarmfase 3

De freerunners lossen het op!

SUPER spannend!
Joep

B.O.J.

Dirk Nielandt
Opgejaagd!

Brent is op de vlucht

SUPER spannend!
Joep

B.O.J.

Dirk Nielandt
In gevaar!

Kan Brent de wereld nog redden?

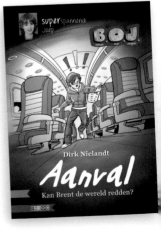

SUPER spannend!
Joep

B.O.J.

Dirk Nielandt
Aanval

Kan Brent de wereld redden?